# métro 3

**Vert**

## Rosi McNab

Heinemann Educational
Halley Court, Jordan Hill, Oxford OX2 8 EJ
Part of Harcourt Education

Heinemann is the registred trademark of
Harcourt Education Limited

First published 2002

06 05 04
10 9 8 7 6

A catalogue record is available for this book from the British Library on request.

ISBN 0 435 38010 9

Produced by Ken Vail Graphic Design
Original illustrations © Heinemann Educational Publishers 2001

Illustrations by Arlene Adams, Graham-Cameron Illustration (Bridget Dowty), Sylvie Poggio Artists
Agency (Tim Davies, Belinda Evans, Rosalind Hudson, Simon Jacob)

Cover design by Miller, Craig and Cocking

Cover photograph by Telegraph

Printed and bound by Mateu Cromo in Spain

**Acknowledgements**

The author would like to thank Gaëlle Amiot-Cadey, Rachel Aucott, Nathalie Barrabé, Jocelyne
Camus and all the pupils at the Collège Louise Michel, Alençon, François Casays, Jackie Coe, Julie
Green, Monique and Michel Landriau and all the pupils at the Lycée Marguerite de Navarre,
Alençon, Arlette Marcy, Carolyn Parsons, Sarah Provan, Christine Ross, Jocelyn Stockley, Geraldine
Sweeney, Kathryn Tate and the students of the Association Cours D'Art Dramatique, Rouen, for their
help in the making of this course.

**Teacher Consultants:** Jonathan Fawcett of Heanor Gate School, Heanor, Derbyshire.

The author and publishers would like to thank the following for permission to reproduce copyright
material: **Okapi** (Bayard Presse) 2000 p.92, **Jacques Charpentreau** p.120 ('La Ville enchantée').

Photographs were provided by **Disneyland Paris** p.7, **World Pictures** p.7 (Futuroscope), **Joe Cornish**
p.7 (Château de Sully-sur-Loire), **Yann Arthus-Bertrand/Corbis** p.7 (aerial view of Paris), **The Travel
Library** p.7 (Eiffel tower), **The Travel Library/R. Richardson** p.7 (Boat on River Seine), **The Travel
Library/Philip Enticknap** p.10 (square and fountain at Bergerac), **Adam Woolfitt/Corbis** p.10 (town
of Bergerac), **Chris Lisle/Corbis** p.10 (street cafés), **Michael Lewis/Corbis** p.12 (an aquapark), **Jean-
Gwenaël Gourges** p.20 (Tahiti), **Québec Tourist Office** p.42 (Québec), **La Vallée des Singes** p.54
(monkeys), **Mike & Lisa Husar/Woodfall Wild Images** p.54 (bald eagle), **Parc des Petites Minaudières**
p.54 (pedal boats and lakeside), **World Pictures** p.54 (Futuroscope), **Benoît Lamort/L'île aux
Serpents** p.54 (snake *Natrix maura*), **WEA Records** p.95 (Madonna), **Rufus F. Folks/Corbis** p.95
(Hugh Grant), **AFP** p.95 (Victoria Adams and David Beckham). All other photos are provided by **Keith
Gibson** and Heinemann Educational Publishers.

Every effort has been made to contact copyright holders of material reproduced in this book. Any
omissions will be rectified in subsequent printings if notice is given to the publishers.

Tel: 01865 888058 www.heinemann.co.uk

# métro 3

## Rosi McNab

# Table des matières

# 1 À la découverte de la France

*Getting to know your way around France*

nord

ouest — est

sud

la Manche

la Belgique

l'Allemagne

la tour Eiffel

la Normandie

Paris ● le parc Disneyland

la Bretagne

la Seine

le château de Chambord ●

la Suisse

la Loire

● Poitiers

le Futuroscope

les Alpes

l'océan Atlantique

l'Italie

la Dordogne

le Massif central

Bordeaux ●

La Côte d'Azur

l'Espagne

les Pyrénées

la mer Méditerranée

 **1a** À deux. Trouvez le nom de:
*In pairs, find the name for:*

1 trois fleuves
2 trois chaînes de montagnes
3 trois régions
4 trois pays
5 trois sites touristiques

 **1b** Écoute et vérifie.
*Listen and check your answers.*

 **1c** Écris la liste.
*Write a list.*

*3 fleuves: la Dordogne, etc.*

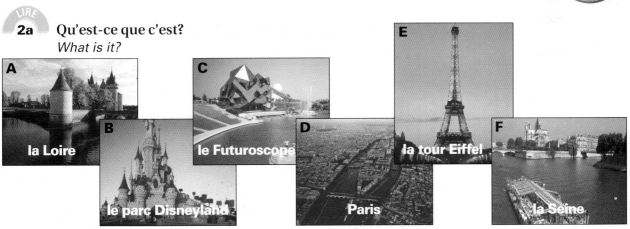

**2a** Qu'est-ce que c'est?
*What is it?*

A la Loire
B le parc Disneyland
C le Futuroscope
D Paris
E la tour Eiffel
F la Seine

1 C'est un énorme parc d'attractions, qui se trouve près de Paris.
2 C'est la capitale de la France.
3 C'est un monument qui se trouve à Paris.
4 C'est un long fleuve près d'un grand château.
5 C'est le fleuve qui traverse Paris.
6 C'est un parc d'attractions futuriste, qui se trouve près de Poitiers.

> **se trouver** *to be situated*

**2b** Comment s'appellent-ils?
*What are they called?*

- Comment s'appelle le parc d'attractions près de Paris?
- (Le parc Disneyland)./Je ne sais pas.
- C'est vrai./Non, c'est faux.
- Comment s'appelle …?

**2c** Fais la liste. Qu'est-ce que c'est?
Ça se trouve où?
*Make a list. What is it? Where is it?*

***Exemple:*** *C'est (le parc Disneyland).*
*C'est (un parc d'attractions), qui se trouve*
*(près de Paris).*

**Rappel**

In French all nouns are masculine or feminine.
There is no word for 'it'. All nouns are either
**il** (he) or **elle** (she).

|  | Masc. | Fem. |
|---|---|---|
| the | **le** | **la** |
| a | **un** | **une** |
| he/she | **il** | **elle** |

**2d** C'est quel site? (1–5)
*Which tourist site is it?*

**3** Fais un site web de trois sites touristiques chez vous.
*Make a website of three tourist sites near you.*

*La tour de Blackpool. (Elle) se trouve à Blackpool,*
*dans (le nord) de l'Angleterre, près de (Manchester).*

une ville/tour/ cathédrale – **elle** se trouve …
un monument/parc d'attractions/musée/château – **il** se trouve …

# 2 La France des villes

## Talking about towns

**A**

*une ville industrielle*

**B**

*une ville touristique*

**C**

*une ville historique*

**D**

*une ville commerciale*

**E**

*un port de commerce*

**F**

*un port de pêche*

Boulogne-s/-mer
Le Havre
Strasbourg
Concarneau
Clermont-Ferrand
Nice
Toulouse
Cannes
Carcassonne
Marseille

**1a** **Écoute et lis.** *Listen and read.*

J'habite dans l'ouest de la France, en Bretagne. Je suis breton. Notre ville est très touristique. C'est un port de pêche au bord de la mer.
**Sébastien**

J'habite une grande ville qui se trouve dans l'est de la France. Ma région s'appelle l'Alsace, je suis alsacienne! Ma ville est très historique.
**Chantal**

J'habite dans le sud de la France. Ma ville est une grande ville industrielle et un port de commerce. Il y a beaucoup d'industrie dans la région.
**Christophe**

Ma ville est dans le sud de la France. C'est une ville touristique. C'est au bord de la mer. Il y a un festival du cinéma chaque année.
**Sabine**

J'habite dans le centre de la France. Ma ville est une grande ville industrielle. On fabrique des pneus pour les voitures ici.
**Amandine**

**1b** Lis. Copie et complète la grille. Devine: c'est quelle ville?
*Read. Copy and fill in the grid. Work out which town it is.*

| nom | genre de ville | ville |
|-----|----------------|-------|
| Sébastien | port de pêche/touristique | ... |

**1c** Où habitent-ils? Écoute et note. (1–5)
*Listen and note down where they live.*

| Toulouse | Nice | Carcassonne | Le Havre | Boulogne-s/-mer |
|---|---|---|---|---|

**2a** Ils y habitent depuis quand? Lis les bulles et copie et complète la grille.
*How long have they lived there? Read the speech bubbles and copy and fill in the grid.*

| nom | ville | nombre d'années |
|-----|-------|-----------------|

J'habite à Concarneau depuis huit ans.

**Brice**

J'habite à Marseille depuis cinq ans.

**Karim**

J'habite à Strasbourg depuis toujours. Je suis née ici.

**Sandrine**

J'habite à Cannes depuis dix ans.

**Raphaël**

J'habite à Clermont-Ferrand depuis un an.

**Vincent**

*Le* détective

How to say how long you have lived somewhere:
In French you use depuis *(since)*.
*Exemple:* J'habite à (Lorient) depuis deux ans.
- *I have always lived here.*
  J'habite ici depuis toujours.
- *I was born here.*
  Je suis né(e) ici.

**Pour en savoir plus ➡ page 142, pt 1.11**

**2b** Ils y habitent depuis quand? (1–5) Utilise la même grille pour tes réponses.
*How long have they lived there? Use the same grid for your answers.*

| Damien | Rachida | Tania | Marine | Jérémy |
|---|---|---|---|---|

**3** Et toi?
*How about you?*

| J'habite à | (Newtown). |
|-----------|-----------|
| C'est | (une grande/petite ville/un village). |
| dans | le (nord/sud /centre) (de l'Angleterre/de l'Écosse/ de l'Irlande/du pays de Galles). |
| J'y habite | (depuis deux ans/ depuis toujours). |

# 3 *J'habite à Bergerac*

*Talking about your own town and what you can do there*

 **1a** **Lis et écoute l'interview.**
*Read and listen to the interview.*

- ● **Où habites-tu?**
- ● J'habite à Bergerac.
- ● **Tu habites à Bergerac depuis quand?**
- ● J'habite ici depuis neuf ans.
- ● **C'est une grande ville?**
- ● Non, c'est une petite ville.
- ● **C'est quel genre de ville?**
- ● C'est une ville touristique.
- ● **Qu'est-ce qu' il y a à voir ici?**
- ● Il y a le fleuve, le château et les musées.

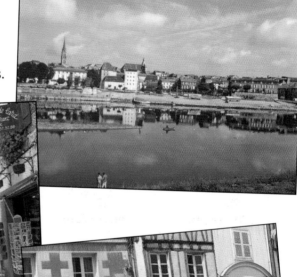

- ● **Où est-ce qu'on peut aller?**
- ● On peut aller à la piscine, aller en ville, ou aller au cinéma.
- ● **Qu'est-ce qu'on peut faire?**
- ● On peut faire du canoë, jouer au tennis, faire du vélo, et en été, on peut aller à Aqua Park, où l'on peut nager, jouer au volley, se baigner, se reposer, s'amuser.
- ● **Aimes-tu habiter ici?**
- ● Oui, j'aime bien.
- ● **Merci.**

*Le détective*

*More useful reflexive verbs:*

| | |
|---|---|
| se baigner | *to go swimming* |
| se reposer | *to rest* |
| s'amuser | *to have a good time* |

Pour en savoir plus ➡ page 140, pt 1.4

**LIRE**

**1b** **Lis et réponds aux questions.**
*Read and answer the questions.*

1 Où habite-t-elle?
2 C'est quel genre de ville?
3 Elle y habite depuis quand?
4 Qu'est-ce qu'il y a à voir?
5 Où est-ce qu'on peut aller?
6 Qu'est-ce qu'on peut faire?

*Le* détective

| On peut + *infinitive* | *One/you can …* |
| On peut aller/faire | *One/you can go/do …* |

**Pour en savoir plus ➡ page 143, pt 1.15**

**PARLER**

**1c** **À deux. À tour de rôle. Faites une interview.**
*In pairs, take it in turns to interview each other.*

● Qu'est-ce qu'il y a à voir ici?
● Il y a …

| **la tour** | **le pont** | **le château** | **la cathédrale** |

● Où est-ce qu'on peut aller?
● On peut aller …

| **à la piscine** | **au cinéma** | **en ville** | **au musée** |

● Qu'est-ce qu'on peut faire?
● On peut …

**ÉCOUTER**

**2a** **Qu'est-ce qu'on peut faire et qu'est-ce qu'on ne peut pas faire?**
*What can you do and what can't you do?*

Stage activités jeunes

| **natation** | **escalade** | **VTT** | **tennis** | **canoë** | **parapente** |

**ÉCRIRE**

**2b** **Fais une brochure pour ton stage idéal.**
*Make a brochure for your ideal activity holiday.*

*Exemple:*
*Stage activités jeunes*
*On peut …*

**Mini-test**       **I can …**

● talk about the geography of France
● talk about tourist attractions in France
● describe towns and say what you can do there

# 4 Aqua Park

*Saying what you like and don't like doing*

A     B     C     D     E     F     G     H     I     J

## Aqua Park

1. 1000m² de piscine (répartis en 4 bassins)
2. toboggan aquatique
3. beach volley
4. VTT
5. canoë sur la Dordogne
6. parcours en motos et quads
7. snack, karaoké et soirées musicales
8. tennis
9. bowling
10. minigolf

**1a** À deux. Trouvez le bon dessin pour chaque activité.
*In pairs, find the right picture for each activity.*

*Exemple:*
A, qu'est-ce que c'est?
A, c'est (le VTT).

**1b** Qu'est-ce qu'ils aiment faire et qu'est-ce qu'ils n'aiment pas faire? (1–2)

**1c** Fais un résumé.
*Write a summary.*

### Rappel

|  | aimer |  |
|---|---|---|
| I | **j'aime** | I like |
| you | **tu aimes** | you like |
| he/she | **il/elle aime** | he/she likes |

| *Corinne aime …* | faire | du VTT, du bowling, du toboggan, du quads, du canoë |
|---|---|---|
| *Pascal n'aime pas …* | jouer | au volley, au mini-golf, au tennis |
|  |  | le karaoké et les soirées musicales |

**2a** Interviewe ton/ta partenaire et note ses réponses.
*Interview your partner and note down his/her answers.*

● Aimes-tu … ?

● Oui, j'aime./Non, je n'aime pas./Je ne sais pas.

| | |
|---|---|
| **Je ne sais pas.** | *I don't know.* |
| **Il/Elle ne sait pas.** | *He/She doesn't know.* |

**2b** Écris les résultats de l'interview.
**Qu'est-ce qu'il/elle aime et qu'est-ce qu'il/elle n'aime pas?**
*Write down the answers to your interview. What did he/she like and dislike?*

**2c** Et toi? Qu'est-ce que tu aimes et qu'est-ce que tu n'aimes pas?
*What about you? What do you like and dislike?*

**Ce n'est pas mon truc.** *It's not my thing.*

**Je ne suis pas un grand sportif/une grande sportive.** *I am not keen on sport.*

**3** Lis et trouve-leur un(e) copain/copine!
*Read the text and find a friend for each person.*

J'aime aller à Aqua Park avec mes copains.
J'aime m'amuser, nager, faire du canoë.
J'aime aussi faire du VTT et le soir j'aime
écouter de la musique et danser mais je
n'aime pas regarder la télé. **Benjamin**

| Mathieu | | Romain | | Constance | |
|---|---|---|---|---|---|
| 🏊 | ✔ | 🏊 | ✔ | 🏊 | ✔ |
| | ✔ | | ✔ | | ✔ |
| | ✘ | | ✔ | | ✔ |
| | ✘ | | ✔ | | ✔ |
| | ✘ | | ✔ | | ✔ |
| | ✔ | | ✘ | | ✘ |

Le samedi après-midi j'aime aller à la
piscine, me baigner et bavarder avec mes
copines. J'aime aussi rencontrer de
nouveaux amis et écouter de la musique,
mais je n'aime pas manger au snack et je
ne suis pas une grande sportive. **Cécile**

En été j'aime nager, j'aime jouer au
volley-ball, j'aime faire du canoë et
j'aime faire du VTT. J'aime aussi manger
au snack mais je n'aime pas jouer au
tennis. Ce n'est pas mon truc. Le soir
j'aime aller au cinéma. **Thomas**

# 5 *Je suis allé(e) à Aqua Park et j'ai ...*

## *Talking about what you have done*

Je suis allé(e) à Aqua Park
et j'ai ...

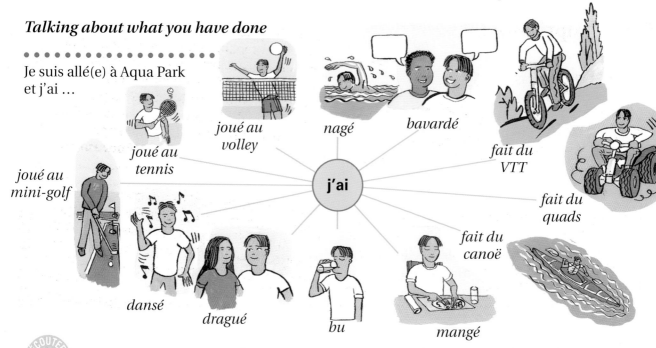

joué au
mini-golf

joué au
tennis

joué au
volley

nagé

bavardé

fait du
VTT

fait du
quads

fait du
canoë

dansé

dragué

bu

mangé

j'ai

**1a** **Qu'est-ce qu'ils ont fait? Écoute et note. (1–5)**
*What did they do? Listen and make notes.*

*Le* détective

To talk about what you have done you use the perfect tense (**le passé composé**).
The perfect tense is usually made up of **j'ai** + the past participle, as follows:

J'ai regardé.    *I watched.*    J'ai acheté.    *I bought.*
J'ai fait.    *I did.*    J'ai bu.    *I drank.*

The past participle of regular **-er** verbs follow this pattern:
jouer – joué; danser – dansé; manger – mangé, *but,* **Je suis allé(e).** *– I went.*

Pour en savoir plus ➡ page 141, pt 1.7

**1b** **À deux. Pose les questions
à ton/ta partenaire.**
*In pairs, ask your partner
these questions.*

● Qu'est-ce que tu as fait?
● Qu'est-ce que tu as mangé?
● Qu'est-ce que tu as regardé?
● Qu'est-ce que tu as bu?
● Qu'est-ce que tu as joué?

| | Partenaire A | Partenaire B |
|---|---|---|
| j'ai fait | | |
| j'ai mangé | | |
| j'ai regardé | | |
| j'ai bu | | |
| j'ai joué | | |

# Samedi après-midi

Samedi après-midi je suis allé au parc de loisirs avec ma copine Isabelle et on a fait une balade à vélo dans la forêt. Puis on a pique-niqué. Le soir j'ai dîné avec mes parents et j'ai regardé une vidéo chez Isabelle. C'était génial.

**Marc**

Samedi après-midi je suis allée en ville avec mon copain, Jean-Yves. J'ai acheté des baskets et il a acheté un jean. Puis j'ai mangé une salade et un burger et il a mangé un poulet-frites. J'ai bu un jus d'orange et il a bu un coca, puis au cinéma on a vu le film *Matrix* 2. C'était super.

**Emmanuelle**

Samedi dernier j'ai fait du kayak avec mes copains. Puis j'ai nagé et j'ai joué au volley-ball. Ensuite j'ai mangé au snack et j'ai fait un nouveau copain. Il s'appelle Brice et il a quinze ans et il fait de la planche à voile. C'était cool!

**Sylvie**

Samedi après-midi je suis allé à Aqua Park avec ma sœur, Djamila. J'ai nagé, j'ai fait du toboggan, et puis j'ai joué au tennis. Ensuite j'ai mangé au snack, j'ai écouté de la musique et j'ai dragué les filles. C'était extra!

**Youssef**

## 2a Lis et trouve la bonne personne.
*Read and find the right person.*

| qui | who |
|-----|-----|

Qui … ?
1 a écouté de la musique?
2 a acheté un jean?
3 ont fait du vélo?
4 a fait de la planche à voile?
5 a regardé une vidéo?
6 a rencontré un nouveau copain?
7 a bu un jus d'orange?
8 a fait du toboggan?
9 a mangé un poulet-frites?
10 a dîné avec ses parents?

Jean-Yves
Emmanuelle
Isabelle
Marc
Sylvie
Youssef
Brice

## 2b Lis et trouve dans le texte:
*Read and find in the text:*

- deux choses à manger
- deux choses à boire
- deux jeux de ballon
- deux choses à voir
- deux mots pour un(e) ami(e)
- deux vêtements.

## 3 Qu'est-ce que tu as fait samedi après-midi?
*What did you do on Saturday afternoon?*

*Je suis allé(e) en ville et j'ai …*

# Bilan et Contrôle révision

*I can …*

| | |
|---|---|
| *name three areas in France* | la Bretagne, la Normandie, la côte d'Azur |
| *name three of its rivers* | la Loire, la Seine, la Dordogne |
| *name three of its mountain areas* | le Massif central, les Pyrénées, les Alpes |
| *name three of its neighbouring countries* | l'Italie, la Suisse, l'Espagne, l'Allemagne, la Belgique |
| *name three of its tourist attractions* | la tour Eiffel, le Parc Disneyland, le Futuroscope |
| *name three of its towns* | Paris, Bordeaux, Poitiers |

*I can …*

| | |
|---|---|
| *talk about a town and say what sort of place it is* | C'est une ville industrielle/une ville touristique/une ville historique/une ville commerciale<br>C'est un port de commerce/un port de pêche |
| *talk about where I live* | J'habite à (Newtown).<br>C'est une grande/petite ville …<br>C'est un village …<br>dans le nord/sud/dans l'ouest/est/centre de l'Angleterre/de l'Écosse/de l'Irlande/du pays de Galles |
| *say how long I have lived there* | J'y habite depuis deux ans/toujours |
| *…or I was born there* | Je suis né(e) ici |
| *name three places that you can visit* | On peut visiter la ville/le musée/le château/le port … |
| *name three places that you can go to* | On peut aller en ville/ au parc d'attractions/à la piscine … |
| *name three things that you can do* | On peut faire du canoë, jouer au tennis, faire du vélo, nager, jouer au volley, se baigner, se reposer et s'amuser. |

*I can …*

| | |
|---|---|
| *say what I like doing* | J'aime … faire/ jouer … |
| *…and what I don't like doing* | Je n'aime pas … faire/jouer … |
| *say that I don't know* | Je ne sais pas. |
| *say where I have been* | Je suis allé(e) à (Aqua Park). |
| *…and what I have done* | J'ai nagé/joué/bavardé/fait du quads/fait du VTT/fait du canoë/mangé/bu/dragué/dansé. |

**1** **Où habitent-ils? (1–5)**

| Patrice | Eveline | Véronique | Thomas | Rachid |
|---|---|---|---|---|

| Toulouse | Nice | Carcassonne | Le Havre | Boulogne-s/-mer |
|---|---|---|---|---|

 **2** **Copie et remplis la grille.**

| | nom | ville | nombre d'années | qu'est-ce qu'on peut faire? |
|---|---|---|---|---|
| 1 | | | | |
| 2 | | | | |

1 J'habite au Havre. J'y habite depuis six ans. On peut visiter le port ou aller à la piscine. **Sylvie**

2 J'habite à Carcassonne depuis dix ans. Ici on peut visiter les fortifications ou faire de l'équitation. **Bruno**

3 J'habite à Nice depuis toujours. Je suis née ici. La ville est au bord de la mer. On peut nager ou se reposer. **Nathalie**

4 J'habite à Boulogne-s/-mer depuis douze ans. La ville est au bord de la mer. On peut aller au cinéma ou on peut visiter la ville. **Olivier**

5 Je suis né à Paris mais j'habite à Toulouse depuis dix ans. C'est une ville industrielle où l'on fabrique l'Airbus. On peut faire un tour de la ville ou faire du vélo. **Sabrina**

**3** **Qu'est-ce que tu aimes et qu'est-ce que tu n'aimes pas?**
**À tour de rôle. Interviewe ton/ta partenaire.**

- Aimes-tu …?
- Oui, j'aime bien./Non, je n'aime pas.

**Partenaire A**

✔ ✔ ✘ ✘ ✘

**Partenaire B**

✔ ✘ ✔ ✔ ✔

 **4** **Fais une présentation.**

| J'habite à | … |
|---|---|
| C'est | une (grande/petite) ville/un village |
| dans | le nord/sud/dans l'est/ouest/centre… de l'Angleterre/de l'Écosse/de l'Irlande/du pays de Galles |
| J'y habite | depuis deux ans/depuis toujours. |
| On peut | faire/jouer/visiter … |
| J'aime | faire/jouer/manger … |
| Je n'aime pas … | |

# Grammaire

## 1 Nouns and gender

In French all nouns are masculine or feminine. (A noun is a name word. In English you can use the word 'the' or 'a' in front of a noun.) In French the word for 'the' changes in front of masculine, feminine and plural nouns.

| Masc. | Fém. | Plur. |
|-------|------|-------|
| le | la | les |

In front of a noun which begins with a vowel or a silent 'h' the **le** and **la** both become **l'**.

Le, la, l' or les?

1 capitale *(f)*
2 cathédrale *(f)*
3 cinémas *(mpl)*
4 école *(f)*
5 monument *(m)*
6 piscines *(fpl)*

## 2 Saying 'it'

|  | Masc. | Fém. |
|--|-------|------|
| *the* | le | la |
| *he/she* | il | elle |

il or elle?

1 château *(m)*
2 maison *(f)*
3 pont *(m)*
4 région *(f)*
5 rivière *(f)*
6 village *(m)*

## 3 Adjectives

Adjectives are describing words. Remember that in French adjectives have to agree with the noun.

Most adjectives add an –e in the feminine, e.g. **petit – petite, grand – grande**.

Adjectives which already end in –e don't change.

| Masc. | Fém. |
|-------|------|
| timide | timide |
| rouge | rouge |
| commercial | commerciale |
| industriel | industrielle |
| pittoresque | pittoresque |

Which of these will change?

1 un pont (pittoresque)
2 un port (commercial)
3 un village (touristique)
4 une ville (industriel)
5 une région (commercial)
6 une fille (timide)

## 4 Verbs

When you are talking about yourself you use the **je** form.
When you are interviewing your partner you use the **tu** form.
When you are talking about someone else you use the **il/elle** form.

|  | –**er** verbs | faire – *to do* | avoir – *to have* | être – *to be* |
|---|---|---|---|---|
| *I* | j'aime | je fais | j'ai | je suis |
| *you* | tu aimes | tu fais | tu as | tu es |
|  | Aimes-tu ...? | Fais-tu ...? | As-tu ...? | Es-tu ...? |
| *he/she* | il/elle aime | il/elle fait | il/elle a | il/elle est |

1 How would you say you do these things?

A   B   C   D   E

2 How would you ask your partner if he/she does them?

3 How would you report back, saying he/she does them?

## 5 How to say you like (or don't like) doing something: *aimer* + infinitive

*I like riding my bike.* J'aime faire du vélo.
*I don't like swimming.* Je n'aime pas nager.

Which of these do you like, and which don't you like?

A   B   C   D   E   F   G   H

## 6 How to say what you can do

On peut aller/faire/visiter ... *We/You can go/do/visit ...*

Qu'est-ce qu'on peut faire? *Tell your penfriend what you can do.*

A   B   C   D   E   F

# En Plus *La Polynésie – Ici on parle français*

Moorea 20 min
Papeete
**Tahiti**
Sydney 8h
l'océan Pacifique

## Qu'est-ce que la Polynésie?

Tahiti est une île qui se trouve dans l'océan Pacifique. Il y a 131 300 habitants.

La capitale de Tahiti est Papeete. La montagne la plus haute s'appelle le mont Orohena avec une altitude de 2 241 m. Tahiti mesure 50 km de long sur 25 km de large.

Les industries principales sont l'agriculture et le tourisme. Les produits principaux sont les bananes, les noix de coco, le sucre de canne, la vanille et les perles.

Beaucoup de plages sont noires parce que les îles sont d'origine volcanique.

À la maison, la plupart des Tahitiens parlent tahitien, mais la langue officielle est le français.

**1a** Lis et écoute.
*Read and listen.*

**1b** À deux, à tour de rôle. Pose les questions et donne les réponses.
*In pairs, take it in turns to ask and reply to the questions.*

1 Tahiti, qu'est-ce que c'est?
2 Où se trouve Tahiti?
3 Il y a combien d'habitants?
4 Comment s'appelle la capitale de Tahiti?
5 Comment s'appelle la montagne la plus haute?
6 Quelles sont les industries principales?
7 Quelle est la langue officielle?

| **le/la plus haut(e)** | *the highest* |

**1c** Fais un portrait de Tahiti.
*Write a profile of Tahiti.*

### Carte d'identité

Nom:

Capitale:

Nombre d'habitants:

Langue:

Montagne la plus haute:

Industries principales:

La ora na, maeva! Ça veut dire 'Bonjour, bienvenue! ', en tahitien.

Je suis tahitienne. Je m'appelle Moorea. J'habite à Tiarei, une petite commune au bord de la mer. Le collège est à dix kilomètres de chez moi et j'y vais en 'truck'. De septembre à juillet il y a de grandes vagues et quand je rentre du collège je fais du boogie.

La mer est à quinze mètres de ma maison. Pendant les vacances on fait beaucoup de natation et de plongée. Le sable est noir parce que nous habitons une région volcanique. La maison est petite, il y a deux chambres, une cuisine et une salle de bains. Normalement on mange dehors, sur la terrasse. Le soir mon père joue de la guitare et il chante des vieilles chansons maories.

Mon plat préféré est le fei, c'est une banane cuite, mais j'adore aussi le steak-frites!

Au collège on parle français mais à la maison nous parlons tahitien; par exemple, au revoir c'est 'nana'. Nana!

**Moorea**

**le truck**

**2a** Lis et écoute.
*Read and listen.*

**2b** Lis et réponds.
*Read and answer the questions.*

1 Où habite Moorea?
2 Où se trouve le collège?
3 Comment va-t-elle au collège?
4 Que fait-elle après le collège?
5 Où se trouve la mer?
6 Que fait-on pendant les vacances?
7 Pourquoi le sable est-il noir?

8 Il y a combien de pièces dans sa maison?
9 Où mange-t-on normalement?
10 Qui joue de la guitare?
11 Quel est son plat préféré?
12 Qu'est-ce qu'elle adore aussi?
13 Quelle langue parle-t-elle à la maison?
14 Quelle langue parle-t-elle au collège?

**2c** Le frère de Moorea. Écoute, copie et complète la liste.
*Moorea's brother. Listen, copy and fill in the grid.*

| Nom: |
| --- |
| Âge: |
| Yeux: |
| Cheveux: |
| Loisirs: |
| Plat préféré: |
| Couleur préférée: |

**2d** Écris un paragraphe sur son frère.
*Write a paragraph about her brother.*

*Son frère s'appelle … etc.*

**Rappel**

| | Masc. | Fem. | Plural |
| --- | --- | --- | --- |
| my | mon | ma | mes |
| your | ton | ta | tes |
| his/her | son | sa | ses |

**3a** Présente-toi. Prépare et enregistre une cassette pour envoyer à Moorea.
*Write a description of yourself. Record it on cassette to send to Moorea.*

*Je m'appelle … J'ai … ans. J'ai les yeux … et les cheveux … J'aime …*
*Mon plat préféré est … et ma couleur préférée est … .*

**3b** Écris un e-mail à envoyer à Moorea.
*Write an email to send to Moorea.*

**4a** Lis et écoute.
*Read and listen.*

# Poème

## Citoyens du monde

Nous passons nos vacances en Espagne,
Je passe mes vacances en Espagne
Mes baskets sont fabriquées en Corée du Sud
Mon jus d'orange vient d'Israël

Je calcule en chiffres arabes
Je mange des spaghettis italiens
J'utilise l'alphabet latin
Mes jeux vidéo viennent du Japon
Ma chemise vient du Portugal
Mon jean vient des États-Unis

Mon chanteur préféré vient d'Afrique du Nord
Mon livre est imprimé à Hong-Kong
Je regarde des films américains
Mes chaussettes viennent de Chine

Mon footballeur préféré vient d'Amérique du Sud
et je peux surfer n'importe où dans le monde …
Le monde est ma maison
Je suis une habitant(e) de la planète Terre!

**4b**  **Lis et réponds! D'où viennent …?**
*Read and answer the questions. Where do they come from?*

- ses baskets
- son jus d'orange
- ses spaghettis
- ses jeux vidéo
- sa chemise
- son jean
- son chanteur préféré
- son livre
- ses films
- ses chaussettes
- son footballeur préféré

**4c**  **Écris un poème.**
*Write a poem.*

Je m'appelle …

J'ai …

Je suis …

Mon (père/sac etc.) est …

Ma (mère/maison/copine) est …

Mes (amis) sont …

Je fais …

Je regarde …

J'écoute …

Je préfère …

J'aime …

Je mange …

Je bois …

Et je suis …

bavard(e)

marrant(e)

sportif(ive)

timide

COOL

du judo

du vélo

du basket

des pâtes

une glace

une pizza

un coca

un jus d'orange

# Mots

**La France** — *France*

| | |
|---|---|
| un fleuve | *a river* |
| une chaîne de montagnes | *a mountain range* |
| une région | *a region* |
| un pays | *a country* |
| un site touristique | *a tourist attraction* |
| l'Allemagne (*f*) | *Germany* |
| la Belgique | *Belgium* |
| l'Espagne (*f*) | *Spain* |
| l'Italie (*f*) | *Italy* |
| la Suisse | *Switzerland* |
| un château | *castle* |
| un monument | *monument* |
| un musée | *museum* |
| un parc d'attractions | *theme park* |
| une tour | *tower* |
| une ville | *town* |
| Ça se trouve où? | *Where is it?* |
| Il/Elle se trouve … | *It is …* |
| à Paris | *in Paris* |
| au bord de la mer | *by the sea* |

**C'est quelle sorte de ville?** — *What sort of town is it?*

| | |
|---|---|
| C'est une ville … | *It is a/an … town.* |
| commerciale | *commercial* |
| historique | *historical* |
| industrielle | *industrial* |
| touristique | *tourist* |
| un port de commerce | *commercial port* |
| un port de pêche | *fishing port* |
| C'est une grande/ petite ville. | *It's a large/small town.* |
| C'est un village. | *It's a village.* |

**Où habites-tu?** — *Where do you live?*

| | |
|---|---|
| J'habite … | *I live …* |
| Il/Elle habite … | *He/she lives …* |
| dans le nord/sud/ l'est/ouest/centre | *in the north/south/ east/west/centre* |
| J'y habite … | *I have lived here …* |
| depuis … ans | *for … years* |
| depuis toujours | *for ever* |
| Je suis né(e) ici. | *I was born here.* |

**Qu'est-ce qu'on peut faire?** — *What can you do?*

| | |
|---|---|
| On peut faire … | *You can go …* |
| du canoë | *canoeing* |
| de l'escalade | *climbing* |
| de la natation | *swimming* |
| du parapente | *parapenting* |
| de la planche à voile | *windsurfing* |
| de la plongée | *diving* |
| du VTT | *mountain biking* |
| On peut … | *You can …* |
| aller à … | *go to …* |
| … la piscine | *the swimming pool* |
| aller au cinéma | *go to the cinema* |
| aller en ville | *go to town* |
| aller au musée | *go to the museum* |
| nager | *go swimming* |
| s'amuser | *enjoy yourself* |
| se baigner | *go swimming* |
| se reposer | *rest* |
| voir le château/pont | *see the castle/bridge* |
| la cathédrale/tour | *the cathedral/tower* |

**Qu'est-ce que tu aimes faire?**

Aimes-tu faire …

du bowling?

du karaoké?

du quads?

Aimes-tu …

aller à la piscine/
au cinéma?

jouer au minigolf?

Oui, j'aime.

Non, je n'aime pas.

Je ne sais pas.

Il/Elle ne sait pas.

*What do you like
to do?*

*Do you like …*

*going bowling?*

*doing karaoke?*

*going quad-biking?*

*Do you like …*

*going to the swimming
pool/cinema?*

*playing mini-golf?*

*Yes, I like it.*

*No, I don't like it.*

*I don't know.*

*He/she doesn't know.*

**Qu'as-tu fait?**

Je suis allé(e) …

J'ai acheté …

J'ai bavardé …

J'ai bu …

J'ai dansé …

J'ai dragué …

J'ai écouté de la
musique …

J'ai nagé …

J'ai regardé un film/
une vidéo …

J'ai fait …

du canoë

du quads

du toboggan

du VTT

J'ai joué …

au minigolf

au tennis

au volley

*What did you do?*

*I went …*

*I bought …*

*I chatted …*

*I drank …*

*I danced …*

*I chatted up …*

*I listened to music …*

*I swam …*

*I watched a film/
video …*

*I did/went …*

*canoeing*

*quad-biking*

*on a water slide*

*mountain biking*

*I played …*

*mini-golf*

*tennis*

*volleyball*

# 1 *Je te présente ma famille*

***Talking about your family and what they do***

**1a** **Lis et trouve.**

*Regarde, sur la photo il y a mon père, Justin, à droite, qui cuit les saucisses. À gauche, c'est ma mère, Julie, qui coupe le pain. Ma tante, Émilie, verse du coca dans des verres et mon oncle, Jules, arrive avec de la bière pour les adultes. Puis, à côté de Jules ce sont mes grands-parents, Pierre et Monique. Ils sont assis à table et ma sœur, Sophie, distribue les assiettes. Mon grand-frère, Denis, n'est pas là. Il est allé en ville avec sa petite copine.*

**Ludo**

**1b** **Vérifie à deux.**

- **A,** c'est son père.
- Non, c'est son oncle.
- **B,** c'est …

**1c** **Vrai ou faux?**

1 Julie distribue les assiettes.
2 À gauche, sa mère coupe le pain.
3 Pierre et Sophie sont assis à table.
4 Son grand-père cuit les saucisses.
5 Sa tante verse du coca dans des verres.
6 Justin est à gauche sur la photo.

## Rappel

Remember the words for **my**, **your** and **his/her** agree with the noun.

| Masc. | Fem. | Plural |
|---|---|---|
| mon père | ma mère | mes frères |
| ton frère | ta sœur | tes parents |
| son oncle | sa tante | ses cousins |

**1d** Décris la famille de Ludo.

*Son père s'appelle … Sa mère s'appelle … etc.*

**2a** À deux. C'est quel métier?
*In pairs. Which job is it?*

● **A**, c'est quoi, comme métier?
● **A**, infirmier. / Je ne sais pas.

**A**     **B**     **C**     **D**     **E**

**F**     **G**     **H**     **I**     **J**

coiffeur/coiffeuse
médecin
menuisier
mécanicien(ne)
infirmier/infirmière
maçon
informaticien(ne)
graphiste
cuisinier/cuisinière
étudiant(e)

**2b** Écoute et note.
Que font-ils? (1–9)
*Listen and note down
what they do.S*

> *In English we say he or she is a doctor/a student.*
> *In French you just say he/she is doctor/student.*
>
> Il/Elle est médecin. *He/She is a doctor.*
> Il/Elle est au chômage. *He/She is out of work.*
> Il/Elle travaille à son compte. *He/She is self-employed.*

**2c** Ma famille. Que font-ils?

*Exemple: Mon grand-père est menuisier.*

**A**
**mon
grand-père**

**B**
**ma
grand-mère**

**C**
**ma
mère**

**D**
**mon
père**

**E**
**mon
oncle**

**F**
**ma
tante**

**G**
**ma
sœur**

**H**
**mon
frère**

# 2 À la maison

*Talking about your own home*

• • • • • • • • • • • • • • • • • • •

Cher corres,

Voici une photo de notre maison.

C'est une grande maison. Elle est dans un quartier calme. Mes grands-parents habitent au rez-de-chaussée et nous habitons au premier étage.

En bas, au sous-sol, il y a la cave.

Au rez-de-chaussée, il y a l'appartement de Mamie et Papi. Ils ont une chambre, une salle de bain, une cuisine et un grand salon qui donne sur le jardin. Ce n'est pas grand mais c'est joli.

Au premier étage, nous avons la chambre de mes parents, une salle de bain, une grande cuisine avec coin-repas où nous mangeons, et un salon où nous regardons la télévision et un balcon où il y a des plantes.

Ma chambre est au deuxième étage. Je partage ma chambre avec mon frère. Nous avons une salle d'eau avec douche, une petite salle de jeux où nous faisons nos devoirs, écoutons de la musique ou jouons sur l'ordinateur.

**Ludo**

| **qui donne sur** *which overlooks* |

**1a**  **Lis et écoute.**

**1b**  **Lis et trouve. Trouve les mots et les phrases dans le texte.**
*Listen and find these words and phrases in the text.*

1  in the basement
2  on the ground floor
3  on the first floor
4  on the second floor
5  a quiet area
6  a shower
7  a games room
8  I share my room

**1c**  **À tour de rôle. Pose les questions et donne les réponses.**
*Take it in turns to ask and answer the questions.*

1  Qu'est-ce qu'il y a au sous-sol?
2  Il y a quelles pièces au rez-de-chaussée?
3  Il y a quelles pièces au premier étage?
4  Il y a quelles pièces au deuxième étage?
5  Ludo partage sa chambre avec qui?

**1d** **Que font-ils? Copie et complète les phrases:**

1 Nous … une grande maison. (habiter)
2 Nous … un balcon. (avoir)
3 Nous … dans la chambre au deuxième étage. (dormir)
4 Nous … nos devoirs dans le bureau. (faire)
5 Nous … la télé dans le salon. (regarder)
6 Nous … dans la cuisine. (manger)
7 Nous … de la musique dans la salle de jeux. (écouter)
8 Nous … sur l'ordinateur au deuxième étage. (jouer)

*Le détective*

*Talking about what 'we' do.*
*The French word for 'we' is* nous. *The* nous *form of the verb ends in* **–ons**. *Most* **–er** *verbs follow this pattern:*

| | |
|---|---|
| je joue | nous jouons |
| tu joues | vous jouez |
| il/elle joue | ils/elles jouent |

*Other* nous *forms are:* nous faisons, nous avons, nous mangeons.

Pour en savoir plus ➡ page 139, pt 1.2

**2a** **Où habitent-ils?**
**Ils y habitent depuis quand?**
**Copie et complète la grille. (1–6)**
*Where do they live? How long*
*have they lived there?*
*Copy and fill in the grid.*

| | *un appartement* | *une maison* | *depuis quand?* |
|---|---|---|---|
| *1* | | | |

**Rappel**

In French there are two words for 'you'. You use **tu** if you are talking to one person and **vous** if you are talking to more than one person.

**2b** **À deux. Questions et réponses.**

| **Partenaire A** | **Partenaire B** |
|---|---|
| Où habitez-vous? | Nous habitons … |
| Vous y habitez depuis quand? | Nous y habitons depuis … ans. |
| Vous avez quelles pièces? | Nous avons … |
| Où mangez-vous? | Nous mangeons dans (la cuisine/le coin-repas/ la salle à manger) |
| Où dormez-vous? | Nous dormons au (premier étage) |
| Où regardez-vous la télé? | Nous regardons la télé (dans le salon/la salle de séjour/ma chambre) |

**3** **Dessine un plan de l'intérieur de la maison et décris-la.**
*Draw a plan of the inside of*
*the house and describe it.*

# 3 *J'ai ...?*

***How to say what is wrong and ask for something***

J'ai faim.
J'ai soif.
J'ai froid.
J'ai chaud.
J'ai mal à la tête.
J'ai besoin d'une serviette.
J'ai oublié mon shampooing.
Je suis fatigué(e).

**Eléonore    Pauline    Anthony    Clément    Sylvie    Rachid    Agathe    Antoine**

**ÉCOUTER**

**1a**  Qui parle? (1–8)

**PARLER**

**1b**  À deux. À tour de rôle. Que dites-vous? *In pairs, take it in turns. What do you say?*

**A          B          C          D          E          F          G          H**

**LIRE**

**1c**  Lis et trouve. Qui parle? (Eléonore, Pauline, etc.)

1  Avez-vous du shampooing?

2  Avez-vous un pull pour moi?

3  Est-ce que je peux avoir un sandwich?

4  Avez-vous de l'aspirine?

5  Est-ce que je peux prendre une douche?

6  Avez-vous quelque chose à boire?

7  Avez-vous une serviette pour moi?

8  Est-ce que je peux aller au lit?

**2a** Écoute. Que veulent-ils? C'est qui? (1–8) *Listen. What do they want and who is it?*

*Exemple: 1 – F, Sylvie*

A   B   C   D   E   F   G   H

**2b** Jeu de rôle.

Partenaire A

Partenaire B

● J'ai …  . Avez-vous …  ?

● Voilà. Veux-tu autre chose?

● Oui, j'ai  . Avez-vous  et  ?

● Voilà. Ça va?

● J'ai  . Je suis  . Est-ce que je peux  et  ? ● Oui, bien sûr.

● J'ai oublié ma  et mon  .

● Voilà.

● Merci.

● De rien.

**2c** Que dis-tu?

*J'ai (froid). Avez-vous (un pull pour moi)?*
*Je suis (fatigué/e). Est-ce que je peux …?*

A   B   C   D

E   F

---

**Mini-test**  **I can …**

● talk about my family and say what they do
● talk about my house
● say how long I've lived there
● ask if I may do something
● say I am hungry/cold etc.

# 4 Est-ce que tu peux …?

*How to talk about jobs in the house*

**A**
**mettre la table**

**B**
**débarrasser la table**

**C**
**vider le lave-vaisselle**

**D**
**passer l'aspirateur**

**E**
**ranger les affaires**

**F**
**faire les lits**

**G**
**sortir la poubelle**

**1a** Écoute et répète. Attention à la prononciation.

**1b** C'est quelle tâche? (1–6)

*Exemple:* 1–C

**1c** Lis et trouve. C'est quelle tâche?

*Exemple:* 1–E, *ranger les affaires*

> **les tâches** *jobs/tasks*

1    Tu peux mettre les chaussettes dans le tiroir et ton pull dans le placard.

2    Tu peux mettre les assiettes dans le lave-vaisselle et les verres dans l'évier.

3    Tu n'as pas encore fait ton lit … dépêche-toi ou tu ne sors pas ce soir!

4    Les couteaux et les bols sont dans le lave-vaisselle.

5    Qui a laissé entrer le chien? Il y a des traces de pattes partout.

6    Qui peut descendre la poubelle? Elle déborde.

**2a** À tour de rôle. Après la boum.

Partenaire A          Partenaire B

● Est-ce que tu peux …?

● C'est fini! Autre chose?

● Est-ce que tu peux …?

● Autre chose?

● Est-ce que tu peux …?

**2b** Remplis les blancs.

● Marjolaine, est-ce que tu peux (**1**) _____ l'aspirateur?
Non, je ne veux pas, je préfère vider le (**2**) _____.
● Nicolas, est-ce que tu peux faire les lits?
Ah non, Maman, je préfère mettre la (**3**) _____.
● Amandine, tu peux aller (**4**) _____ la poubelle?
Ben non, Maman, je (**5**) _____ faire les lits.
● Benjamin, (**6**) _____ tu peux ranger les affaires ?
Ah non, Maman je préfère sortir la poubelle.
● Kathy, est-ce que tu (**7**) _____ débarrasser la table ?
Ah non, Maman, je préfère ranger les (**8**) _____.
● Fredérique, est-ce que tu peux passer l'aspirateur ?
(**9**) _____, Maman je préfère (**10**) _____ la table.
● Alors, Dominique, qu'est-ce que tu fais?
● Moi, qu'est-ce qu'il reste à faire?

> sortir
> est-ce que
> passer
> affaires
> peux
> lave-vaisselle
> table
> préfère
> débarrasser
> Ah non

**2c** Après la boum. Qu'est-ce que tu dis?

*Exemple: Stéphane, est-ce que tu peux …?*

**Stéphane**    **Jérôme**    **Aurélie**    **Denis**    **Mélodie**    **Éric**

# 5 Mettons la table!

*Helping to lay the table*

• • • • • • • • • • • • • •

le couteau
la cuillère
la petite cuillère
la fourchette
l'assiette (f)
le sel
le poivre
le verre
le bol
la bouteille d'eau
la tasse
la soucoupe

**1a** Écoute et répète. Attention à la prononciation.

**1b** Trouve la lettre qui correspond.

| | | |
|---|---|---|
| 1 | Je n'ai pas de couteau. | 6    Passe-moi les assiettes, s'il te plaît. |

1    Je n'ai pas de couteau.

2    Avez-vous une fourchette?

3    Je n'ai pas de bol.

4    Il n'y a pas de petites cuillères.

5    Je n'ai pas de tasse.

6    Passe-moi les assiettes, s'il te plaît.

7    Où est la bouteille d'eau?

8    Où est le sel?

9    Où sont les verres?

10    Avez-vous une soucoupe?

**1c** Écoute et note. Il n'y a pas de …? (1–7)
*Listen and note down. What is missing?*

**1d** Il me faut … Copie et complète la liste.

*6 cuillères …*

## Rappel

In French most words form the plural by adding **-s**, just as in English, but words which end in **-eau** add **–x**, e.g. **un couteau**, **deux couteaux**.

| | |
|---|---|
| **il me faut** | *I need* |
| **il te faut** | *you need* |

**2a** Où sont-ils?

*Exemple: La bouteille d'eau est …*

| la bouteille d'eau | les couteaux | les cuillères | le beurre | les assiettes | les verres |
| --- | --- | --- | --- | --- | --- |

est           sont

| dans le tiroir | dans le lave-vaisselle | sur la table | dans le placard | dans le frigo |
| --- | --- | --- | --- | --- |

 **2b** Jeu de rôle.

**Partenaire A**

● Où sont les …?

● Où sont les …?

● Où est …?

**Partenaire B**

● Ils/elles sont …

● Ils/elles sont …

● Il/elle est …

**3** Tu mets la table pour le dîner. Qu'est-ce qu'il te faut?
*You are laying the table for dinner. What do you need?*

Il me faut …

et du …

# Bilan et Contrôle révision

*I can …*

*say what my relations are called*

mon père/ ma mère/ mon grand-père
mon frère/ma sœur s'appelle …

*say what people do*

Il/Elle est coiffeur/coiffeuse; médecin;
menuisier; mécanicien(ne);
infirmier/infirmière; maçon;
informaticien(ne); graphiste;
cuisinier/cuisinière; étudiant(e)

*I can …*

*describe where I live*

J'habite une grande/petite maison
un grand/petit appartement

*name five rooms*

Il y a le salon, la cuisine, la salle de bains,
la salle à manger, la chambre, la douche

*I can …*

*say what is wrong*

J'ai faim./J'ai soif./J'ai froid./J'ai chaud./
J'ai mal à la tête./J'ai besoin d'une
serviette./J'ai oublié mon shampooing./Je
suis fatigué(e).

*ask for something*

Avez-vous du shampooing/un pull/de
l'aspirine pour moi …?
Est-ce que je peux avoir un sandwich/
prendre une douche … ?

*I can …*

*ask someone to help*

Est-ce que tu peux mettre la
table/débarrasser la table/vider le lave-
vaisselle/ passer l'aspirateur/ranger les
affaires/faire les lits/ sortir la poubelle?

*name items of cutlery*

le couteau, la cuillère, la petite cuillère, la
fourchette

*name items of crockery*

l'assiette (f), le verre, le bol, la tasse, la
soucoupe

## 1 Qui habite dans quelle maison? Il/Elle y habite depuis quand? (1–5)

Sylvie    Florian    Paul    Julie    Aïssata

**A** **B** **C** **D** **E**

## 2 Trouve la bulle qui correspond et la phrase qui complète le texte.

**A** **B** **C** **D** **E** **F** **G** **H**

Je suis fatigué(e).    J'ai oublié ma serviette.    J'ai faim.    J'ai froid.

J'ai soif.    J'ai mal à la tête.    J'ai chaud.    J'ai besoin de shampooing.

1 J'ai les cheveux secs.
2 Pouvez-vous m'en prêter une?
3 Avez-vous un pull pour moi?
4 Est-ce que je peux avoir quelque chose à boire?
5 Avez-vous des aspirines?
6 Est-ce que je peux aller au lit?
7 Est-ce que je peux ouvrir la fenêtre?
8 Est-ce que je peux avoir un sandwich?

## 3 Ton/ta partenaire veut aider à la maison. Que dis-tu?

Est-ce que tu peux … ?

**A** **B** **C** **D** **E** **F**

## 4 Décris ta famille. Comment s'appellent-ils? Ils ont quel âge? Que font-ils?

**Henri (62)**    **Sophie (60)**    **Paul (41)**    **Émilie (40)**    **Gérard (19)**    **Véronique (17)**

# Grammaire

## 1 How to say 'my', 'your', 'his' and 'her'

Remember the words for 'my', 'your' and 'his/her' agree with the noun.

| *Masc.* | *Fém.* | *Plur.* |
|---|---|---|
| mon père | ma mère | mes frères |
| ton frère | ta sœur | tes parents |
| son oncle | sa tante | ses cousins |

**1** Put the right form of 'my' in front of these words.

**a** ... père       **d** ... frère       **g** ... grand-père       **j** ... livre

**b** ... mère       **e** ... sœur       **h** ... grand-mère       **k** .... trousse

**c** ... parents       **f** ... copains       **i** ... grands-parents       **l** ... affaires

**2** Now put the right form of 'your' in front of the words.

**3** Put the word for 'his/her' in front of all the words.
Remember that the word for 'his' and 'her' is the same: **son/sa/ses**,
e.g. **son père** – his/her father; **sa mère** – his/her mother.

## 2 Talking about jobs

Some of the words for jobs have a feminine form, but not all!

Il/Elle est coiffeur/coiffeuse      mécanicien(ne)
      cuisinier/cuisinière      médecin
      étudiant(e)      menuisier
      infirmier/infirmière      graphiste
      informaticien(ne)      maçon

**1** Look up five new words for jobs and write down the French words,
e.g. teacher, salesman/woman, (lorry) driver, etc.

**Tip:** In French you say he/she is carpenter etc. (you omit the word 'a').
e.g. Il/Elle est menuisier.

**2** How would you say he is a ...? **Il est** ...

A        B        C        D        E

... and she is a ...? **Elle est** ...

F        G        H        I       J

## 3 Talking about what 'we' do

The French word for 'we' is **nous**. The **nous** form of the verb ends in **–ons**.

Most **–er** verbs follow this pattern:

| | |
|---|---|
| je joue | nous jouons |
| tu joues | vous jouez |
| il/elle joue | ils/elles jouent |

These verbs are slightly different:

| | |
|---|---|
| manger | nous mangeons |
| nager | nous nageons |
| lire | nous lisons |
| faire | nous faisons |
| boire | nous buvons |
| écrire | nous écrivons |

How would you say 'we' are doing these things?

A    B    C    D    E    F    G    H

## 4 Singular and plural

In French most nouns form the plural by adding **–s**, just as in English, e.g.

**un garçon,    deux garçons;    une fille,    deux filles.**

However, words which end in **–eau** add **–x**, e.g. **un couteau, deux couteaux**.

How would you say?

A    B    C    D    E    F

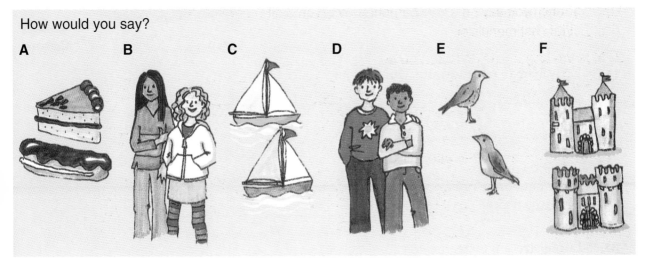

# En Plus *La Francophonie*

**Qui suis-je?**  Ma famille   Ma ville   Mes loisirs   Mes plats préférés

## Qui suis-je?

Je m'appelle Gérard. J'ai treize ans et j'habite à Québec. Je suis québécois. J'y habite depuis dix ans. Je me passionne pour le sport, surtout pour le hockey sur glace, le cinéma, l'informatique et les filles. Ce que je n'aime pas c'est mon petit frère, la natation et les spaghettis!

**1a**   Lis et écoute.

**1b**   Lis et trouve.

1  Gérard a quel âge?
2  Où habite-il?
3  Il y habite depuis quand?
4  Qu'est-ce qu'il aime et qu'est-ce qu'il n'aime pas?

**Gérard**

**1c**   Écris le texte pour ton site. Qui suis-je?

Je m'appelle …
J'ai …
Je suis …
J'habite…
J'y habite depuis …
Je me passionne pour …
Ce que je n'aime pas c'est …

**1d**   Enregistre ton texte.

**2a**  Lis et écoute.

## Ma famille

Mon père est hôtelier et restaurateur. Il s'appelle Guillaume. Ma mère travaille dans l'hôtel et mon père travaille dans le restaurant. Elle s'appelle Anna.

Mes grands-parents, Pierre et Véronique, habitent une ferme à quinze kilomètres de la ville de Québec. Ils ont des vaches et des pommiers.

J'ai un petit frère, qui s'appelle Serge. Il m'énerve tout le temps parce qu'il vient toujours dans ma chambre quand j'ai invité des amis. J'ai aussi une grande sœur, Sybille, qui aide mes parents dans le restaurant. Le week-end elle sort avec son petit copain Gilles. Gilles est électricien et il a une moto. J'ai un chien qui s'appelle Java.

**2b** Lis et trouve. Comment s'appellent-ils?

*Exemple:*
*Son père s'appelle Guillaume (B)*
*Sa mère …*

**2c** Fais le texte pour ta page: Ma famille.

**2d** Enregistre ton texte.
*Record your text.*

# Ma ville

J'habite à Québec. C'est une grande ville commerciale. La ville se trouve en province de Québec, au Canada. La ville est située au bord du fleuve, le Saint-Laurent.

C'est une ville historique et pittoresque. Il y a …
- la Citadelle, qui est située sur une hauteur qui domine le fleuve.
- le château Frontenac, qui est un grand hôtel avec des magasins dans l'hôtel.
- le port: c'est un port commercial avec des bateaux de partout dans le monde.
- le pont pour traverser le fleuve.
- le quartier Champlain avec des cafés et des petites boutiques.
- le centre commercial avec les grands magasins.

J'aime habiter à Québec parce que c'est une très belle ville avec beaucoup de parcs. J'aime l'ambiance. Ce que je n'aime pas c'est la pollution.

**3b** Lis et trouve un titre pour chaque photo.

| la citadelle |
| --- |
| le Saint-Laurent |
| le port |
| le château Frontenac |
| le quartier Champlain |
| le pont |

**3c** Qui aime habiter à Québec? Pourquoi?

| Denis | Bernadette | Yann | Caroline | Mathieu | Janine |
| --- | --- | --- | --- | --- | --- |

Ah oui, j'aime bien parce que …
(**a**) c'est calme (**b**) c'est cosmopolite (**c**) il y a beaucoup de choses à faire

Ah non, je n'aime pas parce qu'/que …
(**d**) il y a trop de monde (**e**) il y a trop d'industrie et de pollution (**f**) c'est trop calme

**3d** Écris ton texte. Ma ville.

J'habite à …
C'est une ville (touristique)
Il y a …
J'aime …
Je n'aime pas …

**3e** Enregistre ton texte.

# Mes copains/copines

Je cherche une petite copine.

Dans ma bande il y a quatre filles, que j'aime bien.
Aide-moi à choisir une petite copine s'il te plaît!

**4a** Mes copines. Copie et complète la grille.

| nom | loisirs | musique | n'aime pas | plus | minus |
|-----|---------|---------|------------|------|-------|
|     |         |         |            |      |       |

**4b** Qui écrit?

Hier je suis allée en ville pour faire du shopping et après j'ai fait une balade à vélo. Le soir j'ai joué de la guitare avec ma copine. Gérard m'a invitée à sortir avec lui. Il est très gentil et je l'aime bien, mais je ne peux pas, parce que je sors avec Axel.

Hier je suis allée en ville et j'ai rencontré mon petit copain Julien. On s'est disputés parce qu'il a voulu aller manger à la pizzeria avec ses copains, et il sait que je n'aime pas les pizzas et je n'aime pas ses copains.

Hier matin je suis allée voir un match de hockey sur glace. Gérard a joué. Il a marqué un but. Il joue très bien. L'après-midi j'ai fait une promenade à cheval. J'ai invité Gérard à m'accompagner mais il n'aime pas les chevaux, et moi je n'aime pas faire du vélo.

Hier je suis allée au lac avec mon père et mes frères. J'ai fait de la planche. Après on a pique-niqué et le soir je suis allée à un concert au centre de loisirs. J'ai joué du piano et j'ai rencontré un nouveau copain, Sylvain, qui joue du saxo.

> Charlotte       Rebecca
> Véronique       Patricia

**4c** Discutez. Choisis une petite copine pour Gérard.
*Exemple: Il ne peut pas sortir avec … parce qu'elle …*
*Il pourrait sortir avec … parce qu'elle fait/*
*aime/n'aime pas …*

**4d** Quelle sorte de personne est Sylvestre? Choisis une petite copine pour Sylvestre.

Sylvestre est … Il aime … il n'aime pas …
Pour Sylvestre, j'ai choisi … parce qu'elle est … elle aime … et n'aime pas …

Sylvestre

**5** Choisis un thème et prépare ton site web.

Qui suis-je?    Ma famille    Ma ville    Mes copains/copines

# Mots

| Ma famille | My family |
|---|---|
| mon frère | *my brother* |
| mon grand-père | *my grandfather* |
| mon oncle | *my uncle* |
| mon père | *my father* |
| ma grand-mère | *my grandmother* |
| ma mère | *my mother* |
| ma sœur | *my sister* |
| ma tante | *my aunt* |
| mes grands-parents | *my grandparents* |
| mon demi-frère | *my half brother* |
| ma demi-sœur | *my half sister* |
| son père/frère | *his/her father/brother* |
| sa mère/sœur | *his/her mother/sister* |
| ses grand-parents | *his/her grandparents* |

| Les professions | Occupations |
|---|---|
| Il/Elle est … | *He/She is a …* |
| coiffeur(euse) | *hairdresser* |
| cuisinier(ière) | *chef* |
| étudiant(e) | *student* |
| graphiste | *graphic designer* |
| infirmier(ière) | *nurse* |
| informaticien(ienne) | *computer scientist* |
| maçon | *builder* |
| mécanicien(ienne) | *mechanic* |
| médecin | *doctor* |
| menuisier | *carpenter* |
| Il/Elle travaille à son compte. | *He/She is self-employed.* |
| Il/Elle est au chômage. | *He/She is unemployed.* |

| À la maison | At home |
|---|---|
| un appartement | *flat* |
| un balcon | *balcony* |
| un immeuble | *block of flats* |
| une maison | *house* |
| un quartier calme | *a quiet area* |
| au premier étage | *on the first floor* |
| au deuxième étage | *on the second floor* |
| au rez-de-chaussée | *on the ground floor* |
| au sous-sol | *in the basement* |

| Les pièces | Rooms |
|---|---|
| la chambre | *bedroom* |
| le coin-repas | *dining area* |
| la cuisine | *kitchen* |
| la douche | *shower* |
| la salle à manger | *dining room* |
| la salle de bains | *bathroom* |
| la salle de jeux | *games room* |
| le salon | *lounge* |
| Je partage ma chambre avec … | *I share my room with …* |
| Nous habitons (un appartement). | *We live in (a flat).* |
| Nous y habitons depuis (3) ans. | *We have lived here for (3) years.* |
| Nous avons … | *We have …* |
| Nous mangeons dans (la cuisine). | *We eat in the (kitchen).* |
| Nous dormons au (deuxième étage). | *We sleep on (the second floor).* |
| Nous regardons la télé dans (le salon) | *We watch TV in (the lounge)* |

**Qu'est-ce qui ne va pas?** *What is wrong?*

J'ai faim / soif. — *I'm hungry/thirsty.*

J'ai froid / chaud. — *I'm cold/hot.*

J'ai mal à la tête. — *I have a headache.*

Je suis fatigué(e). — *I'm tired.*

J'ai oublié … — *I've forgotten …*

J'ai besoin de … — *I need …*

Avez-vous des aspirines / un pull / une serviette / du shampooing? — *Have you got some aspirin/a jumper/a towel/some shampoo?*

Est-ce que je peux … — *Can I … ?*

aller au lit? — *go to bed?*

avoir un sandwich? — *have a sandwich?*

prendre une douche? — *have a shower?*

**Est-ce que tu peux aider?** *Can you help?*

Est-ce que tu peux … — *Can you …*

débarrasser la table? — *clear the table?*

faire les lits? — *make the beds?*

mettre la table? — *set the table?*

passer l'aspirateur? — *hoover?*

ranger les affaires? — *tidy up?*

sortir la poubelle? — *take out the rubbish?*

vider le lave-vaisselle? — *empty the dishwasher?*

**Mettons la table** *Let's set the table*

l'assiette (*f*) — *plate*

la bouteille d'eau — *bottle of water*

le bol — *bowl*

le couteau — *knife*

la cuillère — *spoon*

la petite cuillère — *teaspoon*

la fourchette — *fork*

le poivre — *pepper*

le sel — *salt*

la soucoupe — *saucer*

la tasse — *cup*

La bouteille d'eau est … — *The bottle of water is …*

Les couteaux sont … dans le frigo / lave-vaisselle / placard / tiroir sur la table — *The knives are … in the fridge/ dishwasher/ cupboard/drawer on the table*

Il me faut … — *I need …*

Il te faut … — *You need …*

# 1 *Le week-end*

*Talking about what you are going to do on your visit to France*

**1a** **Lis et écoute.**

- Qu'est-ce que je vais faire demain, Delphine?
- Bon demain, c'est samedi et tu vas rester 'en famille', c'est-à-dire que tu vas rester avec moi. D'abord tu vas faire les magasins, puis tu vas retrouver les autres et on va déjeuner au snack ensemble.
- Et l'après-midi?
- À deux heures et demie tu vas jouer au volley au terrain de sport du collège.
- Et le soir?
- Le soir il y a une boum chez Mélissa. Elle a un grand jardin, et son père va faire un barbecue.
- Cool! Et dimanche?
- Dimanche, c'est toujours 'en famille'. Le matin tu vas faire la grasse matinée.
- La grasse matinée, qu'est-ce que c'est?
- Tu restes au lit jusqu'à dix heures et puis tu prends le petit déjeuner vers onze heures.
- Et après le petit déjeuner?
- Puis tu vas aller chez mes grands-parents avec moi.
- Où habitent-ils?
- Ils habitent à la campagne. Tu vas déjeuner chez eux. Après le déjeuner tu vas faire une balade à vélo avec moi. Tu aimes faire du vélo?
- Oui, j'aime bien.

| **samedi:** | |
| --- | --- |
| **matin:** | en famille |
| **après-midi:** | 14h30 – volley-ball, au terrain de sport |
| **soir:** | libre |
| **dimanche:** | une boum |
| **lundi:** | 8h00 – départ du collège pour aller… |

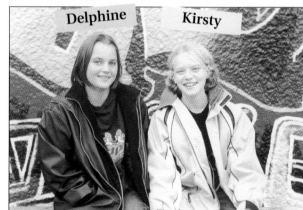

Delphine    Kirsty

**1b** **C'est quel jour? C'est le matin, l'après-midi ou le soir?**
*Which day is it? Is it morning, afternoon or evening?*

A   B  C  D  E  F  G

**1c** Qu'est-ce que tu vas faire en France ce week-end?
À deux. Interviewe ton/ta partenaire.
*What will you do in France this weekend?*

- Qu'est-ce que tu vas faire samedi matin?
- Samedi matin je vais rester en famille … etc.
- Qu'est-ce que tu vas faire samedi après-midi?
- …

*Le* détective

*Talking about what you are going to do.*
*You use the same expression as in English:*
aller *(to go)* + infinitive
Je vais (jouer au tennis).  *I am going (to play tennis).*
Tu vas (faire du vélo).  *You are going (to go cycling).*
Il/Elle va (jouer au tennis).  *He/She is going (to play tennis).*

Pour en savoir plus ➡ page 140, pt 1.6

**2a** Qu'est-ce que Ian va faire? Copie et complète la grille.
*What is Ian going to do? Copy and fill in the grid.*

A

B

C

D

E

F

G

H

| *samedi* | | | *dimanche* | | |
|---|---|---|---|---|---|
| *matin* | *après-midi* | *soir* | *matin* | *après-midi* | *soir* |
| | | | | | |

**2b** Écris un résumé pour Ian.

*Samedi il va se lever à … et puis il va … etc.*

faire du canoë     faire un pique-nique
prendre le petit déjeuner     jouer au football
faire du vélo     jouer aux jeux vidéo
déjeuner     visiter un château

# 2 *On va ...*

*Talking about where you are going to go*

**A**

**B**

**C**

**D**

**E**

**F**

**1a** C'est quel site touristique?

**1**

Un parc aquatique dans une ambiance tropicale, avec toboggans vertigineux, piscines à vagues, kamikase, etc.

**2**

Une découverte de l'espace interactive et originale avec Planétarium, parc Ariane 5, et sa salle d'exposition. Comment lance-t-on une fusée? Comment est fait un satellite?

**3**

Le plus grand site aéronautique d'Europe. Un tour extérieur en bus, un film documentaire et une vue du hall où sont assemblés les AIRBUS.

**4**

Authentique ferme du XIX$^e$ siècle. Vous êtes invité à découvrir la vie de nos arrière-grands-parents. Reconstitution d'une cuisine-chambre d'autrefois, sa cheminée, son lit, sa vaisselle et son linge.

**5**

Une réserve africaine sur 15 hectares. La visite se fait en voiture ou en car. Il y a près de 450 animaux à découvrir.

**6**

La plus grande ville fortifiée d'Europe. Elle compte 52 tours sur 3 km de remparts.

**1b** Lis et trouve.

Find the words and phrases which mean the following:
1 in a tropical environment
2 swimming pools with waves
3 discovery of space
4 rocket
5 the largest aeronautical site
6 a tour of the exterior
7 an authentic farm
8 the 19th century
9 an African reserve
10 city walls

**1c** Copie et complète le programme.
Selon Patrice, c'est comment? [☺ – ☹]
*Copy and complete the programme.
According to Patrice, what is it like?*

| lundi | la Cité de l'espace | ☺ |
|-------|---------------------|---|
| mardi | | |

**2a** Lis et trouve. C'est quel site?

1 C'est un grand parc d'attractions. On va faire un tour des manèges.
2 C'est un musée où l'on visite un village de Vikings. On va faire le tour sur un petit 'train'.
3 C'est une ancienne ville fortifiée. On va marcher sur les remparts et visiter la cathédrale et les musées.
4 C'est un parc safari avec des lions, des éléphants et des girafes. On va faire la visite des animaux en car.
5 C'est un grand château. On va faire un tour avec un guide qui va nous raconter l'histoire du château.
6 C'est un centre aquatique. On va voir des poissons, des requins et des phoques.

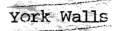

Kenilworth Castle

York Walls

**2b** À tour de rôle. Explique à ton corres où l'on va aller et ce qu'on va faire.
*Take it in turns to explain to your penfriend where you are going and what you will do.*

On va aller à …

et puis on va …

| | | |
|---|---|---|
| ● lundi | **Jorvik** |  **faire un pique-nique** |
| ● mardi | **York walls** |  **aller à la piscine** |
| ● mercredi | **Knowsley** |  **aller à une disco** |
| ● jeudi | **Sea Life Centre** |  **manger au McDo** |
| ● vendredi | **Alton Towers** |  **faire une balade à vélo** |
| ● samedi | **Kenilworth Castle** | **jouer aux cartes** |

**3** Fais le programme pour la visite d'une classe française chez vous.
*Make a programme for a French class who are visiting you.*

| (Lundi) on va aller | à | Londres/York/Alton Towers |
|---------------------|------|----------------------------------------------|
| | au | château/parc d'attractions/musée/centre de loisirs |
| | à la | piscine |
| Et on va faire/visiter/voir … | | |

# 3 Où est la poste, s'il vous plaît?

*Asking where places are and how to get there*

**la librairie**

**la piscine**

**la gare routière**

Où est …?

**la poste**

**la gare**

**le cinéma**

**la pharmacie**

**la maison de Marc**

 **1a** Où est-ce?

*Exemple: 1 – C'est la pharmacie.*

1 Ici on peut acheter des médicaments.
2 On y va pour prendre le bus.
3 Mon copain habite ici.
4 On y va pour voir un film.

5 On y va pour nager.
6 On y va pour prendre le train.
7 On y va pour acheter des timbres.
8 Ici on peut acheter des livres et des revues.

 **1b** Où faut-il aller? (1–8)

*Exemple: 1, D, 2*

| A | B | C | D | E | F | G | H |
|---|---|---|---|---|---|---|---|

1 la place du marché
2 la rue Charles-de-Gaulle
3 la rue Georges-Pompidou
4 la place de la République

5 le boulevard Saint-Michel
6 la rue Gambetta
7 la rue du 14 juillet
8 la rue Henri IV

**1c** À deux.

- Je veux (acheter/aller à) …

Où est … ?
- C'est dans la rue …/le boulevard …/sur la place …

**2a** Lis et trouve le bon dessin.

A  B C  D E  F

1 Pour aller au cinéma vous prenez la deuxième rue à droite.
2 Pour aller à la gare routière vous prenez la troisième rue à gauche.
3 Pour aller à la poste, prenez le bus.
4 Pour aller à la gare vous allez tout droit et la gare est juste devant vous.
5 Pour aller à la librairie vous traversez le pont et vous tournez à gauche.
6 Pour aller à la maison de Marc vous prenez la première rue à gauche.

**2b** Chez vous. Choisis quatre endroits et écris les directions pour un visiteur français.
*Choose four places in your town and write down directions for a French visitor.*

*Exemple: Pour aller à la poste vous prenez la deuxième rue à gauche.*

**Rappel**

You use the **vous** form when talking to an older person or a stranger.

| Pour aller | à la gare au collège | vous prenez | la première/deuxième/troisième rue à droite/gauche |
|---|---|---|---|
| | au parc | vous allez | tout droit |
| | au musée | vous traversez | le pont/la place/la rue |
| | au supermarché | vous prenez | le bus |

**Mini-test**      **I can …**
- talk about what I'm going to do
- ask how to get somewhere
- give directions

# 4 Une visite chez nous

*Talking about an exchange visit*

**Monday**
All pupils to be at school for 9 a.m. French pupils leave by coach for a visit to the seaside. Return by 8 p.m.

**Tuesday**
All pupils to be at school for 8 a.m. for a day trip to Alton Towers. Return 8.30 p.m.

**Wednesday**
All pupils to be at school for 9 a.m. French pupils go on a guided tour of the town. Lunch at school. Afternoon all pupils go swimming at the sports centre.

**Thursday**
French pupils leave school at 8 a.m. for a day trip by train to York. Visit the cathedral and Jorvik museum. Return 8 p.m.

**Friday**
All pupils go to school for 9 a.m. All pupils take a picnic and go on a bike ride.

**Saturday**
Free time in families a.m. Sport at school (volleyball/football/tennis) in afternoon. Evening: disco in school.

**Sunday**
French pupils leave at 10.30 a.m.

**1a** C'est quel jour?
*Exemple: 1 – Monday, E*

1 Tu vas passer une journée au bord de la mer avec les autres. Tu vas y aller en bus et tu vas rentrer vers 20h00. Je vais aller au collège.
2 Tu vas partir du collège à 8h00 pour prendre le train pour aller à York. Tu vas visiter la cathédrale et le musée des Vikings et tu vas rentrer vers 20h00. Je vais aller au collège.
3 Le matin on va aller en ville pour faire du shopping et déjeuner en ville. L'après-midi on va faire du sport au terrain de sport, on va jouer au football, tennis ou volleyball et le soir on va aller à une disco au collège.
4 Tu vas partir du collège en car à 10h30 pour aller prendre le Shuttle.
5 On va faire une balade à vélo. On va apporter un pique-nique.
6 On va aller au collège à 8h00 et puis on va aller dans un parc d'attractions en car. On va rentrer vers 20h30.
7 On va aller au collège à 9h00 et je vais aller en cours mais tu vas aller en ville. Tu vas faire une visite guidée de la ville et on va déjeuner à la cantine. L'après-midi on va aller à la piscine. Je vais aussi à la piscine.

A  B  C  D  E  F  G

**1b** C'est quel jour? (1–6)

**2a** **Dis à ton corres ce qu'il va faire.**
*Tell your penfriend what he is going to do.*

Lundi tu vas …

Jeudi …

Mardi …

Vendredi …

Mercredi …

| **tu vas (aller)** | *you are going (to go)* |
| **tu vas (visiter)** | *you are going (to visit)* |

| **(Lundi) tu vas** | **aller** | **au collège à 8h00** |
| | | **au centre sportif/terrain de sport/bord de la mer** |
| | | **à la piscine/à Londres/à Madame Tussaud/** |
| | | **dans un parc d'attractions/un parc safari/un château …** |
| | **visiter** | **la ville/un musée/la cathédrale** |
| | **faire** | **une balade à vélo/du shopping/un pique-nique/du canoë** |
| | **jouer** | **au tennis/badminton/volley-ball/football** |
| | **déjeuner** | **à la cantine/chez moi/en ville/chez mon copain** |
| | **prendre** | **le car/le bus/le train** |
| | **rentrer** | **à … h** |
| | **rester** | **à la maison** |

**2b** **La classe de Patrice va rendre visite à ton collège.**
**Copie et complète le programme de visite. Il faut vouvoyer!**
*Patrice's class are going to visit your school.*
*Copy and complete the programme of events using the* vous *form.*

Liverpool
collège
au volley-ball
car
10h15
en ville
un parc d'attractions
plage
gare
d'art moderne

dimanche
Vous allez arriver au collège à 19h00.
lundi
Vous avez rendez-vous au (1)_____ à 9h et vous allez partir
en car pour aller à la (2)_____.
mardi
Vous allez partir du collège à 8h30 en (3)_____ pour visiter le musée
(4)_____.
mercredi
Vous allez jouer (5)_____ au terrain de sport et puis vous allez (6)_____.
jeudi
Vous avez rendez-vous à la (7)_____ à (8)_____ et puis vous partez
en train pour aller à (9)_____.
vendredi
Vous allez visiter (10)_____ et puis vous allez faire du shopping.
samedi
Vous allez partir du collège à 15h, en car, pour rentrer en France.

# 5 *En ville*

*Going shopping*

● ● ● ● ● ● ● ● ● ● ●

 **1a** Où peut-on acheter …?

le
marchand de
chaussures

## LA LIBRAIRIE

### la boutique

### la pharmacie

### LE PHOTOGRAPHE

**une carte
d'anniversaire**

**des piles**

**du rouge
à lèvres**

**du mascara**

**un sweat**

**des
chaussettes**

**des cartes postales**

**une pellicule**

**un tee-shirt**

**des baskets**

 **1b** À deux. Vérifiez vos réponses.

*Exemple: On achète … chez le/à la …*

**1c** C'est loin ou pas? (1–5)
*Is it far away or not?*

| Il faut | *You have to* |
|---|---|

C'est à 2/5/15/20/30 minutes d'ici.

On peut y aller à pied.          Il faut prendre le bus.

A    B    C    D    E

**2a** Jeu de rôle. Ton corres veut faire des achats.
*Role-play. Your penfriend wants to buy some things.*

● Je veux acheter

● Il faut aller à Boots/Next/WHSmith/Birthday/Prontoprint.
● Où est le magasin?
● Il est en centre-ville/dans la rue … /sur la place …
● C'est loin d'ici?
● C'est à … minutes d'ici. On peut y aller à pied. /Il faut prendre le bus.

**2b** **Lis et trouve la bonne réponse.**

> *Pour aller à Boots, tu sors de la maison et tu tournes à gauche. Tu descends la rue du Quai sur 100 mètres et tu traverses la rue. Il y a un arrêt de bus. Tu prends le bus, direction centre-ville et tu descends à la gare routière. Tu traverses la rue et le centre commercial est devant toi. Boots est dans le centre commercial.* **Dan**

1  Où se trouve Boots?
2  Il faut y aller à pied ou en bus?
3  À la maison il faut tourner à gauche ou à droite?
4  Où se trouve l'arrêt de bus?
5  Quel bus faut-il prendre?
6  Où faut-il descendre?

A  à gauche
B  à la gare routière
C  direction centre-ville
D  dans le centre commercial
E  la rue du Quai
F  en bus

**2c**  **Donne les directions à Philippe pour y aller. Remplis les blancs.**

Next    WHSmith

1  Pour … à Next, tu … de la maison et tu … à droite. Tu montes la … jusqu'au carrefour et puis tu … la première … à gauche. Tu … sur encore 50 mètres et Next est là, devant … cinéma.

2  … aller à WHSmith, tu sors de la … , et … tournes à gauche. Tu traverses la … . Il y a un … de bus. Tu prends le … et tu … en centre-ville. Puis … montes la rue Gambetta jusqu'aux feux et tu … la deuxième … à droite. Le magasin … là, en face … la pharmacie.

| | | | |
|---|---|---|---|
| de | aller | rue | arrêt |
| descends | prends | rue | maison |
| tournes | sors | le | Pour |
| rue | tu | prends | bus |
| descends | tu | est | rue |

# Bilan et Contrôle révision

*I can …*
  *name the days of the week* — lundi, mardi, mercredi, jeudi, vendredi, samedi, dimanche

  *name times of day* — le matin, l'après-midi, le soir

*I can …*
  *ask what you are going to do* — Qu'est-ce qu'on va faire(samedi matin)?
  *talk about what you are going to do* — Tu vas aller à un parc d'attractions/un parc safari/un château.
  Tu vas visiter la ville/un musée/la cathédrale.
  Tu vas faire une balade à vélo, etc.
  Tu vas jouer au tennis/badminton, etc.
  Tu vas déjeuner à la cantine/chez moi
  Tu vas prendre le car/le bus/le train.
  Tu vas rentrer à … h.
  Tu vas rester à la maison.

*I can …*
  *name shops* — la pharmacie, le marchand de chaussures, la boutique, la librairie, le photographe

  *… and things you can get in them* — des piles, du rouge à lèvres, une carte d'anniversaire, un tee-shirt

*I can …*
  *name places in a town* — la gare routière, la librairie, la piscine, la poste, la gare, le cinéma, la pharmacie

  *… and ask where they are* — Où est …?
  *… and tell someone where they are* — C'est dans la rue … sur la place …/le boulevard …
  *say how to get there* — Pour aller au cinéma …
  vous prenez la première/deuxième rue à gauche/droite
  vous allez tout droit
  vous traversez le pont/la place/la rue
  vous prenez le bus.
  *ask if it is far* — C'est loin d'ici?
  *… and say how far it is* — C'est à (cinq) minutes d'ici. On peut y aller à pied/Il faut prendre le bus.
  *give directions to a friend* — Tu sors de la maison et tu tournes à gauche/droite.
  Tu descends/montes la rue jusqu'au carrefour/jusqu'à l'arrêt de bus/jusqu'aux feux.

**1** Qu'est-ce que tu vas faire? Copie et complète le programme (pour le matin, le midi, l'après-midi et le soir).

|  | samedi | dimanche |
|---|---|---|
| matin |  |  |

**2** Où vont-ils? Copie et complète le programme.

|  | journée | soir |
|---|---|---|
| lundi |  |  |

Vendredi on va visiter le château Malmasson et le soir on va jouer au foot ou au volley-ball.

Lundi, on va au parc safari pour voir des lions, et le soir on va manger dans un restaurant.

Mardi on va faire un tour en car et visiter une ville fortifiée. Le soir on va aller à la piscine.

Mercredi on va au Lac Bleu pour faire du canoë et se baigner. Le soir on va faire un barbecue au bord du lac.

Jeudi on va au musée La Ferme et le soir on va faire une balade à vélo.

**3** À deux. Jeu de rôle.

- Où est (la poste/la banque etc.)?
- (La poste) est à (2/10/15/20/30) minutes d'ici.
- Vous (prenez/traversez …)

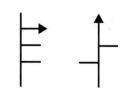

**4** Écris des directions.

1 Pour aller  vous prenez ⌐→ .

2 Pour aller vous prenez .

3 Pour aller vous prenez .

4 Pour aller vous allez ↑ .

5 Pour aller vous traversez .

# Grammaire

## 1 Talking about what you are going to do

In French you use the same expression as in English, e.g.

I am going to read – **aller** ( to go) + infinitive ( to read) – **Je vais lire**.

| | |
|---|---|
| Je vais jouer au tennis. | *I am going to play tennis.* |
| Tu vas faire du vélo. | *You are going to ride your bike.* |
| Il/Elle va jouer au tennis. | *He/She is going to play tennis.* |

**1** How would you say I am going to do these things?

A   B   C   D   E

**2** How would you tell someone 'you' are going to do these things?

A   B   C   D   E

**3** How would you say that 'he/she' is going to do these things?

A   B   C   D   E

If you are talking to more than one person you use the **vous** form, **vous allez**.

**4** Tell your French class what they are going to do: **Vous allez** …

A   B   C   D   E

## 2 How to say 'to the'

| Masc. | Fém. | Plur. |
|---|---|---|
| au (à l') | à la (à l') | aux |

Remember that you use **l'** before words which begin with a vowel or a silent 'h'.

How would you say I am going 'to' these places?

Je vais …

A   B   C   D   E   F   G   H

## 3    Giving directions

**Tutoyer**: when you talk to someone you know well you use the **tu** form.

**Vouvoyer**:  when you talk to a stranger or someone older you use the **vous** form.

| tu form | vous form |
|---|---|
| tu prends | vous prenez |
| tu vas | vous allez |
| tu tournes | vous tournez etc. |

How would you give these directions to:

**1** a friend            **2** a stranger

A      B      C      D

## 4    Saying where you have been and what you have done

Samedi  je suis allé(e) en ville et j'ai fait/vu/joué/nagé ...

You use the perfect tense to talk about the past. In French this is called the **passé composé** because it is 'composed' of two parts: the auxiliary (**avoir** or **être**) and the past participle.

| *auxiliary* | *past participle* | |
|---|---|---|
| J'ai | acheté. | *I bought. I have bought.* |
| J'ai | vu. | *I saw. I have seen.* |
| Je suis | allé(e). | *I went. I have been.* |
| Je suis | resté(e). | *I stayed (at home). I have stayed.* |

**Tip**: When you are writing you have to remember to make the past participle 'agree', but when you are speaking you can't hear the difference e.g. **Il est allé; Elle est allée**.

How would you say you went to town and you…

A    B    C    D    E    F

## 5    Giving an opinion

C'était hyper cool/ super/ génial/ intéressant/pas mal/nul/fatigant

How was it?

A    🙂    B    ☹️    C    ☹️    D    😐    E    🙂    F    ☹️

# En plus · *Une excursion*

*Saying where you have been and what you have done*

**la Vallée des Singes**

**le Château des Aigles**

**Parc de Loisirs des Petites Minaudières**

**le Futuroscope**

**l'Île aux Serpents**

 **1a** C'est quelle attraction? Trouve l'image qui correspond.

1 C'est un château avec un parc où l'on peut voir de grands oiseaux.
2 C'est un parc zoologique où l'on peut voir des singes et des chimpanzés.
3 C'est un parc d'attractions futuriste avec un cinéma Imax et un planétarium.
4 C'est un parc zoologique où l'on peut voir des crocodiles et des serpents.
5 C'est un parc aquatique où l'on peut nager et jouer au volleyball.

**1b** Où sont-ils allés? C'était comment? Écoute et remplis l'agenda (lundi–vendredi).
*Where did they go and what was it like? Listen and fill in the grid for Monday–Friday.*

| | *Où?* | *C'était comment?* |
|---|---|---|
| *lundi* | | |

**1c** Imagine que tu es allé(e) avec eux.
Raconte où tu es allé(e) et ce que tu as fait.
*Imagine that you went with them.*
*Write down where you went and what you did.*

> **(Lundi) je suis allé(e) à …**
>
> **et j'ai fait/vu/joué/nagé …**
>
> **C'était hyper cool/super/génial/
> intéressant/nul/pas mal.**

**1d** Fais ton agenda.
*lundi:  Je suis allé(e) … et j'ai … C'était …*

**2a** Où est-elle allée? C'était quel jour?
*Where did she go? What day was it?*

*Exemple:* 1, mardi, Caernarvon

**Monday**      Llandudno

**Tuesday**      Caernarvon

**Wednesday**   Portmeirion

**Thursday**     le parc régional de Snowdonia

**Friday**       Anglesey

1 Aujourd'hui je suis allée à … J'ai visité le château.
   C'était cool.
2 Aujourd'hui je suis allée dans … et j'ai fait une longue randonnée.
   C'était fatigant.
3 Aujourd'hui je suis allée à … et j'ai nagé dans la mer.
   L'eau était froide!
4 Aujourd'hui je suis allée à …
   C'est une ville en style italien au bord de la mer.
   C'était génial.
5 Aujourd'hui je suis allée sur l'île d'… et j'ai fait une balade à vélo.

**2b** On est allés à Llandudno. C'était comment? (1–7)

| génial | cool | intéressant | pas mal | fatigant | nul | bof |
|---|---|---|---|---|---|---|

 **3** À deux. Jouez.

*Je suis allé(e) à Blackpool et j'ai …*

**fait** un tour des manèges
**fait** du shopping
**visité** la tour
**joué** au volley-ball
**nagé**
**rencontré** un nouveau copain/une nouvelle copine
**mangé** au McDo/au snack/au restaurant
**bu** un coca/jus d'orange etc.

**4a** Les heures d'ouverture. Lis. Copie et complète la grille.

## Supermarché

Le supermarché reste ouvert toute la journée chaque jour de 8h00 à 19h30, sauf le dimanche.

## Boulangerie

Heures d'ouverture:
lun, mer-sam 7h30–12h30; 14h30–19h30
dim 7h30–12h00
fermé le mardi

**Le centre commercial** est ouvert
lundi-vendredi 8h00–12h et 14h30 à 19h30
samedi 8h30–17h00
dimanche fermé

## Banque

Heures d'ouverture:
mar.-ven. 8h00–12h00; 14h00–18h00
sam. 8h00–12h00

| heures d'ouverture | lundi | mardi | mercredi | jeudi | vendredi | samedi | dimanche |
|---|---|---|---|---|---|---|---|
| *centre commercial* | | | | | | | |
| *supermarché* | | | | | | | |
| *banque* | | | | | | | |
| *boulangerie* | | | | | | | |

**4b** Ils ouvrent et ferment à quelle heure? Copie et complète la grille.
*What time do they open and shut? Copy and fill in the grid.*

|  | le centre de loisirs | la piscine | la salle de gymnastique | le terrain de sport |
|---|---|---|---|---|
| *lundi* |  |  |  |  |
| *mardi* |  |  |  |  |
|  |  |  |  |  |

**4c** Jeu de rôle. Explique les heures d'ouverture à ton corres.
*Role-play. Explain the opening hours to your penfriend.*

- ⬤ (Le centre de loisirs) (ouvre/ferme) à quelle heure?
- ⬤ (Le centre de loisirs) (ouvre/ferme) à …

**5** Choisis cinq magasins à recommander à ton corres.
*Choose five shops to recommend to a penfriend.*

# Mots

| **Le week-end** | *The weekend* | **Pour aller …** | *To get to …* |
|---|---|---|---|
| Le matin | *In the morning* | Où est …? | *Where is … ?* |
| L'après-midi | *In the afternoon* | le cinéma | *cinema* |
| Le soir | *In the evening* | la gare | *station* |
| Je vais … | *I am going to …* | la gare routière | *bus station* |
| Tu vas … | *You are going to …* | la librairie | *book shop* |
| Il/Elle va … | *He/she is going to …* | la maison de Marc | *Marc's house* |
| On va … | *We are going to …* | la pharmacie | *chemist* |
| faire une balade à vélo | *go for a bike ride* | la piscine | *swimming pool* |
| faire la grasse matinée | *have a lie in* | la poste | *post office* |
| jouer au tennis | *play tennis* | C'est loin d'ici ? | *Is it far from here ?* |
| rester en famille | *spend time with the family* | C'est à … minutes d'ici. | *It's … minutes from here.* |
| faire du canoë | *go canoeing* | C'est dans la rue …/ sur la place… /sur le boulevard … | *It's in … street/in … square/… boulevard* |
| jouer au football | *play football* | | |
| déjeuner | *have lunch* | | |
| faire un pique-nique | *go on a picnic* | Vous prenez la première/deuxième/ troisième rue | *Take the first/second/ third street* |
| faire du vélo | *ride a bike* | | |
| prendre le petit déjeuner | *have breakfast* | à gauche/à droite | *on the left/on the right* |
| jouer aux jeux vidéo | *play video games* | Vous allez tout droit. | *Go straight on.* |
| visiter un château | *visit a castle* | Prenez le bus. | *Take the bus.* |
| | | Vous tournez à gauche. | *Turn left.* |
| **On va …** | *We are going to …* | Vous traversez le pont/ la place/la rue. | *Cross the bridge/ square/street* |
| aller au château/ musée/parc d'attractions | *go to the castle/ museum/theme park* | … est juste devant vous | *… is right in front of you* |
| à la piscine | *go to the swimming pool* | | |
| faire un tour | *do a tour* | | |
| marcher sur les remparts | *walk on the walls* | | |
| visiter la cathédrale | *visit the cathedral* | | |
| voir des poissons | *see the fish* | | |

| On va faire … | We are going to … | En ville | In town |
|---|---|---|---|
| aller … | go … | des baskets (f pl) | trainers |
| déjeuner | have lunch | une carte d'anniversaire/postale | birthday card/postcard |
| jouer … | play … | | |
| prendre le bus/car | go by bus/coach | des chaussettes (f pl) | socks |
| rentrer à … h | come home at … o'clock | le mascara | mascara |
| | | une pellicule | film |
| rester à la maison | stay at home | une pile | battery |
| faire un pique-nique | go on a picnic | le rouge à lèvres | lipstick |
| aller à la piscine | go to the swimming pool | le sweat | sweatshirt |
| | | le tee-shirt | T-shirt |
| aller à une disco | go to a disco | Pour acheter … il faut aller … | To buy … you need to go to … |
| manger au McDo | go to McDonalds | | |
| faire une balade à vélo | go for a bike ride | la boutique | clothes shop |
| jouer aux cartes | play cards | la pharmacie | chemist |
| | | le marchand de chaussures | shoe shop |

| Les jours de la semaine | Days of the week |
|---|---|
| lundi | Monday |
| mardi | Tuesday |
| mercredi | Wednesday |
| jeudi | Thursday |
| vendredi | Friday |
| samedi | Saturday |
| dimanche | Sunday |

| | |
|---|---|
| le photographe | camera shop |
| On peut y aller à pied. | You can walk there. |
| Il faut prendre le bus. | You go there by bus. |
| Tu sors de la maison … | You go out of the house … |
| … et tu tournes à gauche. | … and turn left. |
| Tu descends la rue sur … mètres. | Go down the road for … metres. |
| Tu traverses la rue. | Cross the road. |
| Tu prends le bus. | You take the bus. |
| … est en face/là. | … is opposite/there. |

# 1 *Tu gardes la forme?*

*Talking about keeping fit*

● ● ● ● ● ● ● ● ● ● ● ● ● ● ● ● ●

**Que fais-tu?**

**A du jogging**

**B de la musculation**

**C du cyclisme**

**D de la danse**

**E de l'aérobic**

**Je fais…**

**F de la natation**

**G du yoga**

**H du taï-chi**

**I Je ne fais rien**

**ÉCOUTER**

**1a** Écoute et répète. Attention à la prononciation! (A–I)

**ÉCOUTER**

**1b** Que font-ils pour garder la forme? (1–8) *What do they do to keep fit?*

**Mathieu   Julie   Guillaume   Axel   Valentin   Fatima   Christelle   Aurélie**

**LIRE**

**2a** Que font-ils? Quand?
Copie et complète la grille.

| nom | activité | quand? |
| --- | --- | --- |
| | | |

| J'en fais … | *I do (it) …* |
| --- | --- |
| de temps en temps | *from time to time* |
| souvent | *often* |
| tous les jours | *every day* |
| une/deux fois par semaine | *once/twice a week* |
| le (mercredi) matin | *on (Wednesday) mornings* |
| le (samedi) après-midi | *on (Saturday) afternoons* |
| le (dimanche) | *on (Sundays)* |

*Je fais du yoga deux fois par semaine. J'en fais parce que ça détend, et je fais de la natation de temps en temps parce que c'est bon pour la santé.* **Michaël**

*Pour garder la forme je fais du jogging. J'en fais deux fois par semaine, le mercredi et le samedi, et je fais de la natation de temps en temps parce que j'aime et que c'est bon pour la santé.* **Louise**

*Je fais de la musculation parce que c'est bon pour la santé. J'en fais trois fois par semaine et je fais du taï-chi le mercredi soir parce que ça me détend.* **Bénédicte**

*Je fais de la danse. J'en fais deux fois par semaine, le mercredi et le samedi et je fais de l'aérobic tous les jours. J'aime la danse et ma petite copine en fait aussi.* **Alain**

*Le* détective

How to say you don't do sport:

Je **ne** fais **pas** de sport.   *I don't do any sport.*

Je **n'**en fais **jamais**.   *I never do it.*

Je **ne** fais **rien**.   *I don't do anything.*

Pour en savoir plus ➡ page 142, pt 1.8

**ÉCOUTER**

**2b** Un sondage. Que font-ils? Combien de fois par semaine? Écoute et note. (1–8)
*A survey. Listen and note down what they do and how many times a week they do it.*

**PARLER**

**3a** Interviewe cinq personnes.

- ● Que fais-tu pour garder la forme?
- ● Je fais … /Je ne fais rien.
- ● Tu en fais combien de fois par semaine?
- ● J'en fais … par semaine.

**ÉCRIRE**

**3b** Que font-ils pour garder la forme? Copie et complète.

*Exemple:* Margaux fait du jogging deux fois par semaine.

| Margaux | 🏃 | 2× |
| Serge | 🤸 | 2× |
| Julie | 💃 | 5× |
| Maëlle | 🤸 | 2× |
| Joël | 🏋 | 3× |
| Coralie | 🧘 | 7× |

**ÉCRIRE**

**3c** Et toi? Que fais-tu?

*Je fais …/J'en fais …/Je ne fais rien.*

# 2 Bougez!

*An exercise programme; telling someone what to do*

**Dix minutes d'activité physique quatre fois par jour pour une vie active saine!**

*Commencez!*

1 Levez-vous!
2 Tenez-vous droit, baissez les épaules, regardez devant vous.
3 Tendez les bras devant vous. Respirez.
4 Baissez les bras, doucement, et détendez-vous.
5 Baissez la tête, et fermez les yeux.
6 Pliez les jambes.
7 Touchez-vous les doigts de pied avec les mains.
8 Ouvrez les yeux, tenez-vous droit, respirez, détendez-vous, souriez …
9 Et asseyez-vous.

**1a** **Écoute et fais les exercices.**
*Listen to the instructions and do the exercises.*

**1b** **Trouve l'image qui correspond à chaque instruction.**
*Find the correct picture for each instruction.*

A   B   C   D   E   F   G   H   I

*Le* détective

**Giving instructions**

*When you are giving instructions to a group of people you use the* vous *form e.g.*
baissez, levez, écoutez, ouvrez … *without the* vous.

*Some verbs keep the* vous *when talking about 'yourself/yourselves' e.g.*
touchez le livre – *touch the book, but* touchez-vous le nez – *touch your nose*

*Here are some more:*

| | |
|---|---|
| asseyez-vous | *sit (yourself) down* |
| levez-vous | *get (yourself) up* |
| taisez-vous | *be quiet (shut (yourself) up)* |

**Pour en savoir plus** ➡ page 140, pt 1.5

**1c** En groupe. Jouez à 'Jacques a dit …'
*In a group, play 'Simon says …'*

les cheveux
la tête
les oreilles
le nez
le cou
le corps
la taille
les pieds
les doigts de pied
les yeux
la bouche
les épaules
les bras
la main
les doigts
les jambes

baissez
fermez
levez
ouvrez
pliez
regardez
respirez
tendez
touchez-vous

**1d** Qu'est-ce que Jacques a dit?

*Exemple: A – Fermez les yeux.*

A   B   C   D   E   F

**2a** Écoute les instructions et choisis l'image qui correspond.

A   B   C   D   E   F   G   H   I   J

**2b** Copie et complète les instructions avec le verbe qui manque.
*Copy and complete the instructions with the missing verb.*

1  … dans la salle de classe. (entrer)
2  … .(s'asseoir)
3  … votre livre. (ouvrir)
4  … la cassette. (écouter)
5  … le texte. (lire)
6  … après la cassette. (répéter)

| Asseyez-vous | Répétez |
| Écoutez | Ouvrez |
| Entrez | Lisez |

# 3 Bonne cuisine, bonne mine

*Talking about healthy eating*

· · · · · · · · · · · · · · · · · · · ·

 **1a** Trouve le bon mot pour chaque photo.

le pain
les pommes
   de terre
le gâteau
le jambon
le lait
le poulet
les pâtes
les pêches
les biscuits
le fromage

 **1b** À deux. Trouvez deux autres aliments pour chaque liste au-dessous (exercice 1c).

 **1c** Copie la liste et mets ces aliments dans la bonne colonne.

| *produits laitiers* | *viandes* | *légumes* | *fruits* | *céréales* | *sucreries* |
|---|---|---|---|---|---|
| | | | | | |

les frites
une pizza
les cornflakes
un kit-kat
les biscuits

le chocolat
   chaud
le poulet
le riz
les pâtes

les pommes
   de terre
la salade
le bœuf
le lait

les bonbons
le yaourt
les chips
le pain
une tartine

le gâteau
le poisson
le couscous
le fromage
le jambon

 **1d** Écoute et vérifie.

 **2a** Lis le texte page 71. Qu'est-ce qu'ils mangent et boivent?
Copie et complète la grille.
*Read the text on page 71. What do they eat and drink? Copy and fill in the grid.*

| | *laitiers* | *viande* | *légumes/fruits* | *céréales* | *sucreries* | | *autre* |
|---|---|---|---|---|---|---|---|
| Lucille mange/boit | du lait | | | | | | |

Pour le petit déjeuner je mange des cornflakes avec du lait et je bois du chocolat chaud. À midi je mange des frites et un biscuit. Pour le goûter je mange un biscuit ou du gâteau et je bois du coca. Pour le dîner je mange de la pizza ou des pâtes et je bois de l'eau.   **Lucille**

Je ne mange pas de petit déjeuner. À la récré je mange des chips et un biscuit et je bois du coca. À midi je mange des frites et un fruit. Pour le dîner je mange des pâtes ou du riz avec de la sauce et du pain avec du fromage et je bois de l'eau.   **Marc**

Pour le petit déjeuner je mange deux tartines, et je bois du lait. À la récré je mange une tablette de chocolat ou un kit-kat. À midi je mange un paquet de chips ou des biscuits. Pour le dîner je mange des pâtes ou du couscous, du jambon, du fromage et du pain et une mousse au chocolat. Je bois du lait froid.   **Noémie**

 **2b** **Trouve le bon conseil pour Lucille, Marc et Noémie.**
*Find the correct advice for Lucille, Marc and Noémie.*

1  Il ne faut pas sauter\* le petit déjeuner et tu ne manges pas assez de produits laitiers ou de viande. Tu manges trop de\* sucreries, ce n'est pas bon pour la santé.
2  Tu manges trop de chocolat. Il ne faut pas manger trop de sucreries et de chips.
3  Il faut manger plus de\* fruits et de légumes. Tu manges trop de\* céréales et tu ne manges pas assez de\* fruits frais.

| \* **sauter** | to skip/miss out |
|---|---|
| \***trop de** | too much |
| \***pas assez de** | not enough |
| \***plus de** | more |

 **3** **Écris-leur un conseil.**

*Maurice, tu manges trop de (chocolat) … il faut manger plus de …*
*Mélissa, tu ne manges pas assez de … il faut manger plus de …*

| il faut | *you must* |
|---|---|
| il ne faut pas | *you mustn't* |

**Mini-test**   I can …
- say what I do to keep fit
- say how often I do it
- give instructions
- talk about healthy food
- and give advice about healthy food

**Et toi?** *Je mange trop de … Je ne mange pas assez de …*

# 4 Dix conseils pour garder la forme

*Giving advice about healthy living*

**1a** Trouve l'image qui correspond.

1 Mangez sainement.
2 Buvez 2 à 3 litres d'eau par jour.
3 Faites du sport.
4 Marchez davantage.
5 Ne fumez pas.
6 Couchez-vous de bonne heure.
7 Ne passez pas trop de temps devant la télévision.
8 Passez plus de temps en plein air.
9 Ne passez pas trop de temps au soleil.
10 Protégez-vous quand vous faites du sport.

*Le* détective

Telling someone to do something using the **vous** form:
Use the **vous** form of the present tense without the **vous**.

Ouvrez la porte.    *Open the door.*
Faites du sport.    *Do some sport.*

Remember that some verbs keep the **vous** when talking about yourself/yourselves.

**Pour en savoir plus ➡ page 140, pt 1.5**

**1b** Trouve le conseil qui correspond.

*Exemple: A, 6 – Couchez-vous de bonne heure.*

**A** Je ne me couche pas avant dix heures et demie.
**B** Je ne sors jamais. Je préfère rester à la maison et lire un bon livre.
**C** Je ne porte jamais de casque quand je fais du VTT.
**D** J'adore me faire bronzer.
**E** Je bois du coca et du fanta mais je déteste l'eau.
**F** Je regarde la télé jusqu'à dix heures du soir.
**G** Je ne fais pas de sport. Je n'aime pas.
**H** Je fume 10 cigarettes par jour.
**I** Pour aller en ville je prends le bus.
**J** Je mange trop de chips et de frites.

**1c** Écoute et trouve le conseil qui correspond. (1–10)

**1d** C'est quel conseil?

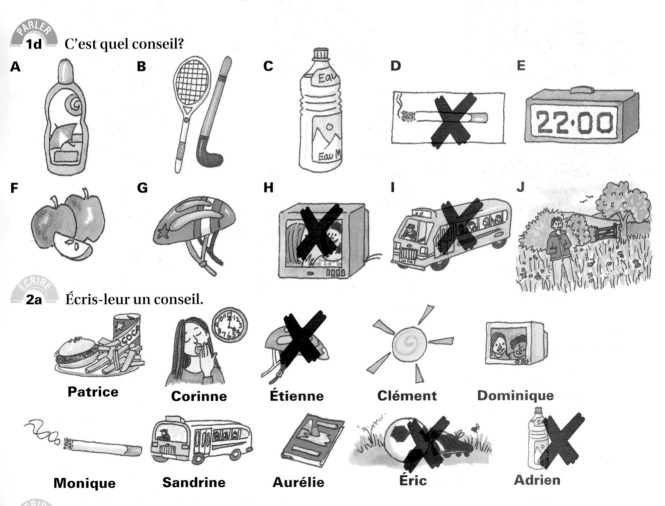

**2a** Écris-leur un conseil.

**2b** Fais un poster. Choisis ou invente un conseil et dessine un poster.
*Choose one of the pieces of advice, or make up your own and make a poster to illustrate it.*

# 5 Portrait d'un champion

*An interview with a sportsman*

●●●●●●●●●●●●●●●●●●●●●

**Nadir, 23 ans**

◆ Qu'est-ce qu'il faut faire pour devenir un champion?

▨ **Pour devenir champion, il faut faire de l'entraînement, il faut manger sainement et il ne faut pas faire de bêtises\*. Il faut de la discipline!**

◆ À quelle heure vous levez-vous?

▨ **Normalement je me lève à six heures.**

◆ Que faites-vous?

▨ **Je fais du stretching et du jogging. Je fais dix kilomètres chaque matin.**

◆ Et puis?

▨ **Je prends le petit déjeuner.**

◆ Que mangez-vous pour le petit déjeuner?

▨ **Je mange des céréales et une tartine avec du miel.**

◆ Que buvez-vous?

▨ **Je me fais un smoothie. Je mets des fruits et des noix dans le mixer avec du lait.**

◆ Et après?

▨ **Je me repose et puis je fais encore trois heures d'exercice. Je fais de la musculation et du saut à la corde\*.**

◆ Et à midi? Que mangez-vous?

▨ **Je mange de la viande, de la salade, du pain et du fromage et un fruit.**

◆ Alors qu'est-ce que vous ne mangez pas?

▨ **Je ne mange pas de frites ni de sucreries.**

◆ Vous buvez du café?

▨ **Non, je bois de l'eau.**

◆ Et l'après-midi?

▨ **Je fais de l'entraînement en équipe. Nous nous entraînons ensemble et puis nous faisons un match.**

◆ Que faites-vous le soir? Vous regardez beaucoup la télévision?

▨ **Non, je la regarde très peu. Je dîne, je me repose et je me couche tôt.**

◆ Vous fumez?

▨ **Absolument pas. Ce n'est pas bon pour la respiration.**

◆ Quel conseil donnez-vous à un jeune sportif ou une jeune sportive?

▨ **Il faut faire beaucoup d'entraînement, manger sainement, boire beaucoup d'eau et se coucher tôt. Il faut de la discipline!**

◆ Merci.

▨ **Merci à vous.**

| | |
|---|---|
| \*faire des bêtises | *to do stupid things* |
| \*faire du saut à la corde | *to skip* |

**1a** Lis et écoute.

 **1b** Choisis la bonne réponse.

1 Nadir a (**a**) vingt-deux (**b**) vingt-trois ans.
2 Il se lève à (**a**) six heures (**b**) sept heures.
3 Il fait (**a**) du stretching (**b**) de la musculation.
4 Il fait (**a**) cinq (**b**) dix kilomètres de jogging.
5 Il fait (**a**) deux (**b**) trois heures d'exercice.
6 Il (**a**) fume (**b**) ne fume pas.
7 Il (**a**) aime regarder la télé (**b**) ne regarde pas beaucoup la télé.
8 Il se couche (**a**) tard (**b**) tôt.

 **1c** À deux. À tour de rôle. Posez les questions et donnez les réponses.

1 Que fait Nadir? Il joue …
2 Quel âge a-t-il? Il a …
3 Que fait-il quand il se lève? Il fait …
4 Que mange-t-il pour le petit déjeuner? Il mange …
5 Que boit-il pour le petit déjeuner? Il boit …
6 Combien d'heures d'entraînement fait-il le matin? Il fait …
7 Que fait-il l'après-midi? Il fait …
8 Que fait-il le soir? Il …

 **2a** Que font-ils? Copie et complète la grille. (1–4)

| | le matin | l'après-midi | le soir |
|---|---|---|---|
| *1* | | | |

 **2b** Imagine que tu es un(e) sportif/sportive. Décris ta journée.
*Imagine that you are in training. Describe your day.*

Je me lève à  .

Je fais   .

Je mange  pour mon petit déjeuner.

Puis je fais  et   .

Après le déjeuner je fais  et  .

Le soir je reste  .

Je me couche à  .

# Bilan et Contrôle révision

I can …
- ask someone what they do to keep fit — Que fais-tu pour garder la forme?
- say what I (and other people) do and don't do — Je fais … (Je ne fais pas de …)
  Il/Elle fait … du jogging/de la musculation/du cyclisme etc.
  Il/Elle ne fait pas de danse, natation etc.
- say I don't do any exercise — Je ne fais rien.
- say he/she doesn't do any exercise — Il/Elle ne fait rien.
- say how often I exercise — J'en fais de temps en temps/souvent/ tous les jours/une fois par semaine/deux fois par semaine
  le (mercredi) matin/le (samedi) après-midi/ le (dimanche)/jamais

I can …
- give someone instructions using the vous form — bougez/commencez/baissez/fermez/ levez/ouvrez/pliez/regardez/respirez/tendez asseyez-vous/levez-vous/tenez-vous droit/détendez-vous

I can …
- name parts of the body or face — la tête, les yeux, le cou, la taille, les oreilles, les épaules, les jambes, la bouche, les bras, les pieds, le nez, la main, les doigts de pied, les cheveux, les doigts

I can …
- talk about food and types of food — produits laitiers : le lait, le fromage
  viandes: le jambon, le poulet
  légumes et fruits:  les pommes de terre, les pêches
  céréales: le pain, les pâtes
  sucreries: le gâteau, les biscuits
- say what I eat and drink — Je mange … et je bois …
  Je mange trop de …
  Je ne mange pas assez de …
- and tell someone what they ought to do — Il faut manger/boire plus de …
  Tu manges/bois trop de …
  Tu ne manges/bois pas assez de …

**1** Que font-ils pour garder la forme? Combien de fois par semaine? (1–6)

**2** Copie et remplis la grille. Que mangent-ils, que boivent-ils?

|  |  |  |  |  |  |  | *autre* |
|---|---|---|---|---|---|---|---|
| *Benjamin* |  |  |  |  |  |  |  |
| *Claudette* |  |  |  |  |  |  |  |

Pour le petit déjeuner je mange des cornflakes avec du lait et je bois du chocolat chaud. À midi je mange de la salade, un steak-frites, un yaourt et un fruit. Pour le goûter je bois du coca et je mange un paquet de chips. Au dîner je mange des pâtes avec une sauce bolognaise (tomates et viande), du pain et du fromage et je bois de l'eau. **Benjamin**

Pour le petit déjeuner je mange un fruit, des céréales et des toasts, et je bois du lait. À midi je mange à la cantine. Aujourd'hui c'est de la salade, du poisson, des tomates, et une mousse au chocolat. Pour le goûter je mange des biscuits. Pour le dîner je mange des pâtes, du jambon, du fromage et du pain et un yaourt et une pomme. Je bois du lait froid. **Claudette**

 **3** Que manges et que bois-tu? Interviewe ton/ta partenaire.

- Que manges-tu pour le petit déjeuner/le déjeuner/le dîner?
- Que bois-tu pour le petit déjeuner/le déjeuner/le dîner ?

 **4** Que mangent-ils? Donne un conseil à Florian et Corinne.

**Florian** mange … et boit …
Il mange trop de … Il faut manger plus de …
**Corinne** … Elle …

**Florian**     **Corinne**

# Grammaire

## 1 How to say what you do

Je fais …

| | | | | |
|---|---|---|---|---|
| du jogging | de la musculation | du cyclisme | de la danse | Je ne fais rien. |
| de la natation | du yoga | du taï-chi | de l'aérobic | |

How to say how often you do it:

J'en fais …

tous les jours – *every day*  une/deux fois par semaine – *once/twice a week*
le (mercredi) matin – *on (Wednesday) mornings*  le (samedi) après-midi – *on(Saturday) afternoons*

How to say you don't do sport:

Je ne fais pas de … – *I don't do …*  Je ne fais pas de sport. – *I don't do any sport.*
Je n'en fais jamais. – *I never do it.*  Je ne fais rien. – *I don't do anything.*

What do 'you' do, and when do 'you' do it?

Je fais …

A  B  C  D  E  F

×1  ×7  ×1  ×3  ×2  ✗

## 2 How to talk about someone else

You use the **il/elle** (he/she) form.

je fais
tu fais
**il/elle fait**
**il/elle ne fait pas de …**

What do they do and when do they do it?

Pierre  Mathias  Bénédicte  Clémence  Cyrille  Louise

fait …

Il/Elle en fait …

×1  ×3  ×5  samedi matin  ×7  mercredi après-midi

## 3 Giving instructions

When you are giving instructions to a group of people you use the **vous** form
without the **vous**, e.g.

**baissez, levez, écoutez, ouvrez**.

Some verbs keep the vous when talking about 'yourself/yourselves'
e.g. **touchez le livre** – touch the book and **touchez-vous le nez** – touch your nose.

Here are some more verbs which keep **vous**:

asseyez-vous – *sit (yourself) down*          levez-vous – *get (yourself) up*
détendez-vous – *relax (yourself)*          taisez-vous – *be quiet [shut (yourself) up]*

What does the teacher say …

A          B          C          D          E          F          G          H          I          J

## 4 In French you use 'some' when talking about what you eat and drink.

e.g. Je mange des frites. *I eat (some) chips.*

| Masc. | Fém. | Plur. |
|---|---|---|
| du (de l') | de la (de l') | des |

Remember that you use **l'** before words which begin with a vowel or a silent 'h'.

**1** How would you say you eat these things?

Je mange …

A    B   C    D    E    F

**2** How would you say you drink these?

Je bois …

G    H    I    J

# En plus *Ma journée*

**Il faut être actif tous les jours, c'est important.**

**Vous passez environ dix heures au lit.**

**Ça vous laisse cinq heures à vous!**

**Vous passez sept heures au collège.**

**Vous passez environ une heure à table.**

**Vous passez vingt minutes dans la salle de bains.**

**Vous passez à peu près 40 minutes pour aller au collège et rentrer du collège.**

**1a** Lis le texte et réponds.
Combien d'heures passe-t-on … ?

- ◆ au lit?
- ◆ au collège?
- ◆ en route?
- ◆ dans la salle de bains?
- ◆ à table?

Combien d'heures sont à vous?

| ça vous laisse … | *that leaves you …* |
|---|---|

**1b** À deux. Interviewe ton/ta partenaire.

Combien d'heures passes-tu …
- ● au lit?
- ● au collège?
- ● en route pour aller au collège et rentrer du collège?
- ● dans la salle de bains?
- ● à table ?

Combien d'heures sont à toi?

**1c** Fais un résumé.

Je passe  …h au lit.
  …h au collège.
  …h pour aller au collège et rentrer du collège.
  …h dans la salle de bain.
  …h à table.
Il me reste …h heures à moi.

| il reste … | *there is … left* |
|---|---|
| il me reste … | *I have … left* |

ÉCOUTER

**2a** Combien d'heures passent-ils au lit? Copie et complète la grille. (1–7)

|  | 1 | 2 | 3 | 4 | 5 | 6 | 7 |
|---|---|---|---|---|---|---|---|
| *Il/Elle se lève à* |  |  |  |  |  |  |  |
| *Il/Elle se couche à* |  |  |  |  |  |  |  |
| *Nb d'heures au lit* |  |  |  |  |  |  |  |

PARLER

**2b** Fais un sondage de classe. Pose les questions et note les réponses.

- À quelle heure tu te lèves?
- À quelle heure tu te couches?
- Combien d'heures passes-tu au lit?

LIRE

**3a** Il reste cinq heures … Que font-ils? Choisis les bonnes images.

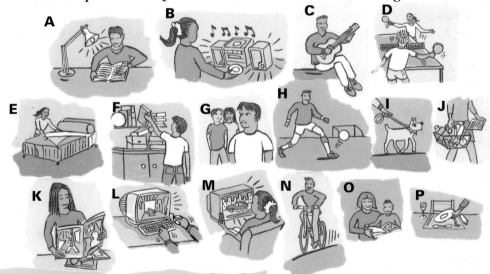

Il me reste cinq heures. Je fais mes devoirs. Je fais mon lit. Je range mes affaires. Je lis des magazines. J'écoute de la musique. Je parle avec mes copains. Je joue dans la rue. Je regarde la télé. Je joue sur l'ordinateur.                    **Mathieu**

Il me reste six heures. Je fais mes devoirs. Je joue au ping-pong avec mon frère. Je promène le chien. Je fais des courses pour ma mère. Je regarde une vidéo ou un film à la télé.    **Djamila**

Il me reste quatre heures et demie. Je fais mes devoirs. J'aide ma mère à la cuisine. Je mets la table. Je m'occupe de mon petit frère. Je lis des magazines.            **Mélodie**

Il me reste cinq heures et demie. Je joue de la guitare et je fais mes devoirs. Je fais une balade à vélo avec mes copains. On joue au football, on s'amuse, et puis je rentre et je me couche.
                                **François**

**3b** Et qu'est-ce qu'ils ont fait hier? Choisis les images qui correspondent. (1–4)
*What did they do yesterday? Choose the correct pictures.*

A
B
C
D
E
F
G
H
I
J
K
L

| J'ai passé une heure au téléphone. | *I spent an hour on the phone.* |

**3c** À deux. Interviewe ton/ta partenaire.

- Qu'est-ce que tu as fait hier soir?
- J'ai …
- Et toi, qu'est-ce que tu as fait?
- J'ai …

## Rappel

Saying what you have done

**J'ai** + past participle

| J'ai fait | *I have done/I did* |
| J'ai joué | *I played* |
| J'ai écouté | *I listened* |
| J'ai regardé | *I watched* |
| J'ai lu | *I read* |
| J'ai mangé | *I ate* |
| J'ai bu | *I drank* |
| J'ai travaillé | *I worked* |

**3d** **Qu'est-ce que tu as fait hier soir?**
*What did you do yesterday evening?*

*Hier soir, j'ai …*

**A**

**B**

**C**

**D**

**E**

**F**

**4a** **Il reste cinq heures. Pendant combien de temps est-ce que Sophie a …?**
*There are five hours left. For how long did Sophie …?*

● joué au ping-pong?
● fait ses devoirs?
● travaillé sur l'ordinateur?
● téléphoné à son copain?
● aidé sa mère?
● regardé la télévision?

22h00
17h00
21h30
17h30
18h30
20h30
19h30

**4b** Fais un graphique: Mes cinq heures.

# Mots

| Tu gardes la forme? | Do you keep fit? |
|---|---|
| Je fais … | I do/go … |
| de l'aérobic | aerobics |
| du cyclisme | cycling |
| de la danse | dancing |
| du jogging | jogging |
| de la musculation | weight training |
| de la natation | swimming |
| du taï-chi | t'ai chi |
| du yoga | yoga |
| Je ne fais rien. | I don't do anything. |
| Je ne fais pas de sport. | I don't do any sport. |
| J'en fais … | I do it … |
| Je n'en fais jamais. | I never do it. |
| souvent | often |
| tous les jours | every day |
| une/deux fois par semaine | once/twice a week |
| le mercredi matin | on Wednesday mornings |
| le samedi après-midi | on Saturday afternoons |
| le dimanche | on Sunday |

| Les instructions | Giving instructions |
|---|---|
| Baissez | Lower |
| Détendez-vous | Relax |
| Écoutez | Listen |
| Entrez | Come in |
| Fermez | Close |
| Levez-vous | Stand up |
| Lisez | Read |
| Ouvrez | Open |
| Pliez | Bend |
| Taisez-vous | Be quiet |
| Tenez-vous droit | Stand up straight |
| Rangez | Tidy |
| Répétez | Repeat |
| Sortez | Get out |
| Touchez | Touch |
| Travaillez | Work |
| Trouvez | Find |

| Le corps | The body |
|---|---|
| la bouche | mouth |
| le bras | arm |
| les cheveux | hair |
| le corps | body |
| le cou | neck |
| les doigts | fingers |
| les doigts de pied | toes |
| les épaules | shoulders |
| la jambe | leg |
| les oreilles | ears |
| la main | hand |
| le nez | nose |
| le pied | foot |
| la taille | waist |
| la tête | head |
| les yeux | eyes |

| Mangez bien | *Eat well* | Dix conseils pour garder la forme | *Ten rules for keeping in shape* |
|---|---|---|---|
| les céréales: | *cereals:* | Mangez sainement. | *Eat sensibly.* |
| le couscous | *couscous* | Buvez 2 à 3 litres d'eau par jour. | *Drink 2–3 litres of water a day.* |
| le pain | *bread* | Faites du sport. | *Do some sport.* |
| les pâtes | *pasta* | Marchez davantage. | *Walk more.* |
| la pomme de terre | *potato* | Ne fumez pas. | *Don't smoke.* |
| le riz | *rice* | Couchez-vous de bonne heure. | *Go to bed early.* |
| les fruits et légumes: | *fruits and vegetables:* | Ne passez pas trop de temps devant la télévision. | *Don't spend hours watching TV.* |
| les carottes | *carrots* | | |
| la pêche | *peach* | Passez plus de temps en plein air. | *Spend more time in the fresh air.* |
| la pomme | *apple* | Ne passez pas trop de temps au soleil. | *Don't spend too much time in the sun.* |
| la salade | *salad* | | |
| les produits laitiers: | *dairy products:* | Protégez-vous quand vous faites du sport. | *Use protective equipment when you do sport.* |
| le fromage | *cheese* | | |
| le lait | *milk* | | |
| le yaourt | *yoghurt* | | |

| Ma journée | *My day* |
|---|---|
| les sucreries: | *sweet things:* |
| les biscuits | *biscuits* |
| les bonbons | *sweets* |
| les gâteaux | *cakes* |

| Mangez bien | *Eat well* | Ma journée | *My day* |
|---|---|---|---|
| les viandes: | *meat:* | Je me lève à (6 heures). | *I get up at 6 a.m.* |
| le bœuf | *beef* | Je fais (1 heure de stretching). | *I do (1 hour of exercises).* |
| le jambon | *ham* | Je mange … pour mon petit déjeuner. | *I eat … for breakfast.* |
| le poisson | *fish* | Puis je fais (1 heure de jogging). | *Then I (do 1 hour of jogging).* |
| le poulet | *chicken* | Après le déjeuner je fais 1 heure de natation. | *After lunch I swim for 1 hour.* |
| les chips | *crisps* | Le soir je reste chez moi. | *In the evening I stay at home.* |
| la pizza | *pizza* | Je me couche à (9 heures). | *I go to bed at (9 o'clock).* |
| la tartine | *slice of bread and butter* | | |
| Tu manges/bois trop de … | *You eat/drink too much …* | | |
| pas assez de … | *not enough …* | | |

# 1 *Les vêtements*

*Talking about what you are wearing*

| des baskets |
| des chaussettes |
| des chaussures |
| une chemise |
| un chemisier |
| un gilet |
| un jean |
| une jupe |
| un pantalon |
| un pull |
| des sandales |
| un short |
| un sweat |
| un tee-shirt |
| des tennis |

**Raphaël**   **Loïc**   **Hanane**   **Ambre**

 **1a** À deux. Qu'est-ce qu'ils portent? C'est de quelle couleur?
*In pairs. What are they wearing? What colour is it?*

*Raphaël porte un pantalon gris…*

> **In French the word for the colour always comes after the noun.**

 **1b** Écoute et trouve le bon dessin. (1–4)

*Le* détective

 **1c** Décris les vêtements.

Raphaël porte un pantalon gris, …
Loïc … un tee-shirt rouge, …
Hanane … un pull vert , …
Ambre … un chemisier rose, …

| Singular | | Plural | |
|---|---|---|---|
| **Masc.** | **Fem.** | **Masc.** | **Fem.** |
| blanc | blanche | blancs | blanches |
| noir | noire | noirs | noires |
| vert | verte | verts | vertes |
| bleu | bleue | bleus | bleues |
| gris | grise | gris | grises |
| rouge | rouge | rouges | rouges |
| jaune | jaune | jaunes | jaunes |

**Pour en savoir plus ➡ page 145, pt 3.1**

**2a** Quel tee-shirt préfèrent-ils? Pourquoi? (1–6)
*Which T-shirt do they prefer? Why?*

**A**      **B**      **C**      **D**      **E**      **F**

| **parce que** | *because* |

> *Saying what colour suits you:*
> **La couleur me va bien.**     *The colour suits me.*
> **Le noir ne me va pas.**     *Black doesn't suit me.*

**2b** Trouve un tee-shirt pour Louis!

> J'ai les cheveux roux et les yeux verts. Le jaune me va très bien. Je prends le jaune.    **Océane**

> Le vert ne me va pas parce que j'ai les cheveux châtains et les yeux bleus, mais le bleu me va bien. Je prends le bleu.    **Rachid**

> J'ai les cheveux marron et le vert ne me va pas. Le rouge me va bien. Je prends le rouge.    **Thomas**

> Les autres couleurs ne me vont pas, je préfère le noir, parce que je porte toujours du noir.    **Muriel**

> Le vert ne me va pas … j'ai les cheveux bruns et les yeux bruns et … je préfère le tee-shirt blanc.    **Isabelle**

> Qu'est-ce qu'il me reste?    **Louis**

**2c** Interviewe ton/ta partenaire.

- Quelle couleur te va?
- Quelle couleur ne te va pas?
- Quel tee-shirt préfères-tu?

- Le (vert) me va bien parce que j'ai les cheveux/yeux/…
- Le (noir) ne me va pas.
- Je préfère le …

**2d** Écris un texte.

| **Ma couleur préférée, c'est le …** | **parce que** | le (bleu) me va bien<br>j'ai les yeux (bleus/verts/marron)<br> et les cheveux (marron/roux/blonds/<br> châtains …).<br>le (rouge) ne me va pas. |
|---|---|---|
| | **Je préfère le tee-shirt … parce que la couleur me va bien.**<br>**Je n'aime pas le tee-shirt … parce que la couleur ne me va pas.** | |

# 2 *Je voudrais ...*

*Shopping for clothes*

• • • • • • • • • • • • • •

- Je voudrais un tee-shirt s'il vous plaît.
- Oui, monsieur ... en quelle couleur?
- Rouge.
- Vous faites quelle taille? Petit, moyen ou grand?
- Moyen.
- Voilà, un tee-shirt 'Speedy', moyen, en rouge.
- Ça coûte combien?
- €37,50.
- Avez-vous quelque chose de moins cher?
- Oui, j'ai un tee-shirt 'Winner' en noir et bleu.
- Et ça coûte combien?
- €25,75.
- Non, le bleu ne me va pas, je prends ce tee-shirt noir.
- Le voilà.
- Merci. Au revoir.
- Au revoir, monsieur et bonne fin de journée.

**1a**  Lis et écoute.

**1b** Lis et trouve la bonne réponse.

1 Il achète (**a**) un tee-shirt (**b**) un maillot de bain.
2 La couleur qui ne lui va pas c'est (**a**) le bleu (**b**) le vert.
3 Le 'Speedy' est (**a**) trop grand (**b**) trop cher.
4 Il prend (**a**) le moyen (**b**) le grand.
5 Le 'Speedy' coûte (**a**) €37,50 (**b**) €25,75.

**1c** À deux. Jeu de rôle. Travaillez le dialogue.
*In pairs practise the role-play above.*

**2a** Ils coûtent combien? C'est quel prix? (1–9)

A €2,99  B €9,90  C €12,85  D €15,75  E €21,60  F €23,99  G €25,65  H €29,00  I €32,50

## Rappel

**Les nombres**

20 vingt
30 trente
40 quarante
50 cinquante
60 soixante
70 soixante-dix
80 quatre-vingts
90 quatre-vingt-dix
100 cent

*The numbers most frequently used in prices are 50, 75, 95 and 99:* cinquante, soixante-quinze, quatre-vingt quinze, quatre-vingt-dix-neuf. *Practise saying them and try to learn to recognise them.*

### Le détective

*To say 'this', 'that', 'these' and 'those' you use:*

| Masc. | Fem. | Plural |
|---|---|---|
| ce (cet*) | cette | ces |

*Exemple:* ce tee-shirt – *this tee-shirt*
\* cet *is used in front of masculine words*

Pour en savoir plus ➡ page 146, pt 3.5

**2b** À deux. Jeu de rôle.

● Je voudrais …

**Partenaire A**

● ce **A**

● cette **C**

● ces **E**

**Partenaire B**

● ce **B**

● cette **D**

● ces **F**

chaussures
tee-shirt
chemise
chaussettes
veste
pantalon

● Ça coûte combien?

● Ça coûte …

| | | |
|---|---|---|
| A €22,80 | B €27,75 | C €15,99 |
| D €21,95 | E €8,75 | F €17,99 |

 **3** Dessine quatre vêtements et décris-les! *Draw four items of clothing and describe them.*

*C'est (un tee-shirt bleu/une chemise bleu(e))(en coton). (Il/Elle) coûte …*

en coton (cotton)    en jean (denim)
en jersey (jersey)   en soie (silk)

# 3 L'argent de poche

*Pocket money*

**A**
Je fais du babysitting.

**B**
Je m'occupe de mon petit frère/ma petite sœur.

**C**
Je range ma chambre.

**D**
Je lave des voitures.

**E**
J'ai un job dans un fast food.

**F**
Je ne fais rien.

**G**
J'aide mes parents.

**H**
Je fais la vaisselle.

**1a** Écoute et note. Combien d'argent de poche ont-ils? (1–8)
**Que font-ils pour en gagner?** *Listen and note down how much pocket money they get and what they do to earn it.*

**1b** À deux. Que dis-tu?

- Tu as combien d'argent de poche?
- J'ai €3  €3,5  €6  €7,50
- Que fais-tu pour gagner de l'argent?
-

**1c** Lis et réponds aux questions.

> 66 Pour gagner de l'argent de poche je fais du babysitting pour ma tante. Elle va à un cours d'aérobic et je m'occupe de ma petite nièce. Je lui lis des histoires et on regarde des vidéos ensemble. On me paie un euro l'heure et je peux gagner quatre euros par semaine. 99 **Marjolaine**

> 66 Mes parents me donnent de l'argent de poche si je range ma chambre et fais la vaisselle. Ils me donnent quatre euros par semaine mais si je fais des bêtises ils me donnent deux euros. Si j'ai de bonnes notes ils me donnent six euros! 99 **Nathaniel**

> 66 Pour avoir de l'argent de poche je m'occupe de mon petit frère quand je rentre du collège. Il a deux ans. S'il fait beau on va au parc. S'il pleut, je lui lis des histoires et on fait des puzzles ensemble. Ma mère me donne cinq euros par semaine. 99 **Stéphane**

1 Que fait Marjolaine pour gagner de l'argent?
2 Elle gagne combien l'heure?
3 Que fait Nathaniel pour gagner de l'argent?
4 Que fait-il pour avoir six euros?
5 Que fait Stéphane pour avoir de l'argent de poche?
6 Où va-t-il, s'il fait beau?

| | |
|---|---|
| **faire des bêtises** | *to do silly things* |
| **bonnes notes** | *good marks (at school)* |
| **le puzzle** | *jigsaw* |
| **si** | *if* |

**2a** Que font-ils avec leur argent de poche? (1–8)

A

B

C

D

E

F

G

H

**2b** Interviewe ton/ta partenaire.

| | |
|---|---|
| Combien d'argent de poche as-tu? | J'ai … /Je n'ai rien. |
| Que fais-tu pour gagner de l'argent de poche? | Je fais du babysitting / la vaisselle.<br>J'aide mes parents.<br>Je range ma chambre.<br>Je lave des voitures.<br>Je m'occupe de mon petit frère/ma petite sœur.<br>Je ne fais rien. |
| Que fais-tu de ton argent de poche? | J'achète …<br>Je le mets de côté pour m'acheter … / aller en vacances. |

**une livre sterling** *a pound (£)*

**2c** Écris un résumé.

*Argent de poche*
*Moi:*
*J'ai …*
*Je … pour gagner de l'argent.*
*J'achète …*
*Je mets mon argent de côté pour …*

*Mon/ma partenaire:*
*Il/elle a …*
*Il/elle … pour gagner de l'argent.*
*Il/elle achète …*
*Il/elle met son argent de côté pour …*

**Rappel**

| | Masc. | Fem. | Plural |
|---|---|---|---|
| my | mon frère | ma sœur | mes frères |
| his/her | son argent | sa chambre | ses parents |

**Mini-test**      **I can …**
- say what I am wearing …
- … and what colour it is
- say whether the colour suits me
- buy clothes in a shop
- say how much pocket money I get …
- … and what I do with it

# 4 J'ai un problème!

## Talking about problems

• • • • • • • • • • • • • •

J'ai besoin de gagner de l'argent. Toutes mes amies ont des vêtements super-cool. Elles ont plus d'argent que moi et elles se moquent de moi, parce que je porte les vêtements de ma sœur. Qu'est-ce que je peux faire? **Céline**

J'ai besoin d'aide. J'ai de mauvaises notes en maths et j'ai besoin de bonnes notes parce que je veux passer mon bac. Je ne peux pas parler au prof. Il ne m'écoute pas. Il croit que je suis stupide. **Denis**

J'ai besoin d'arrêter de fumer. Je fume et je sais que ce n'est pas bon pour la santé, mais quand je suis avec mes copains et qu'ils fument, je fume aussi. **Aïcha**

J'ai besoin de sortir avec mes copains! Mes parents ne me comprennent pas. Le soir, tous mes copains sortent et moi, je dois rester à la maison et faire mes devoirs. Ce n'est pas juste! Je ne peux pas leur parler, ils ne m'écoutent pas, ils sont trop stricts! **Valentin**

J'ai besoin de faire un régime. Je mange trop de sucreries et de chips et je suis trop grosse, mais quand j'ai faim je mange des bonbons et quand j'ai soif je bois du coca light! **Sabine**

J'ai besoin d'une petite copine. Je suis petit pour mo âge, et tout le monde se moque de moi parce que je porte des lunettes. J'ai beso de me faire une petite copine mais je ne sais pas comment faire. **Mathie**

| | |
|---|---|
| **faire un régime** | *to go on a diet* |
| **j'ai faim** | *I am hungry* |
| **j'ai soif** | *I am thirsty* |

**1a** Lis et trouve. Qui est-ce?

Qui …
1 mange trop?
2 n'a pas de petite copine?
3 fume?
4 ne peut pas sortir?
5 a de mauvaises notes en maths?
6 veut acheter des vêtements?

## Le détective

*How to say you need to do something.*
*Use the correct part of* avoir *with* besoin de + *infinitive.*

| | |
|---|---|
| J'ai besoin de … | *I need to …* |
| Tu as besoin de … | *You need to …* |
| Il/Elle a besoin de … | *He/she needs to …* |

*Exemple:* J'ai besoin de gagner de l'argent.

**Pour en savoir plus ➡ page 143, pt 1.13**

**1b** Qui parle? (1–6)

**1c** Trouve la bonne réponse à chaque lettre (à la page 92).

1 Il faut trouver quelqu'une qui s'intéresse aux mêmes choses* que toi …
2 Il faut demander à un(e) ami(e) de t'aider à ne plus fumer.
3 Il faut parler à ton professeur principal* au collège …
4 Il faut trouver d'autres ami(e)s …
5 Il faut manger un sandwich, un fruit ou un yaourt. Il ne faut pas manger de sucreries …
6 Il faut montrer* à tes parents que tu n'es pas stupide …

| *les mêmes choses | the same things |
| *le professeur principal | the tutor |
| *il faut montrer | you have to show |

**2a** Que dis-tu?

A

B

C

D

E

F

| J'ai besoin d' … | aide au collège<br>arrêter de fumer |
| J'ai besoin de … | faire un régime<br>me faire une petite copine/<br>     un petit copain<br>gagner de l'argent<br>sortir avec la bande |

**2b** Écris une lettre.

| je ne peux pas | I can't |

J'ai besoin de/d' …
parce que je fume/mange/bois trop de …
parce que j'ai …
parce que je n'ai pas de …
Je ne peux pas parler à mes parents/mon prof parce que …

# 5 Il/Elle est comment?

*Talking about what someone is like*

● ● ● ● ● ● ● ● ● ● ● ● ● ● ● ● ● ● ● ● ● ● ●

Mon petit copain s'appelle Éric.
Il a quinze ans. Il est très gentil.
On se parle de tout. Il est
charmant et marrant mais
quelquefois il est un peu égoïste.
Il m'aide à faire mes devoirs.
**Coralie**

Ma petite copine s'appelle
Thérèse. Elle est intelligente et
sportive. Quelquefois elle est un
peu têtue. J'aime regarder des
films de science-fiction mais elle
préfère faire les magasins et
traîner en ville.     **Dominique**

Mon petit frère est farfelu. Il
s'appelle François. Il est bavard et
sportif. Il joue au football et au
volley, mais il est un peu timide et
il n'aime pas aller au club des
jeunes ou parler avec des filles.
**Mélodie**

Ma sœur est stupide, elle ne
fait pas de sport. Elle s'appelle
Catherine. Elle passe des
heures au téléphone avec ses
copines. Elle est paresseuse.
**Pascal**

Mon petit copain est super sympa. Il
s'appelle Rachid. Normalement il est
très sérieux mais quelquefois il est
têtu. Il n'aime pas aller en ville et il
n'aime pas sortir avec les autres.
**Nolwenn**

**1a** Qui est-ce? C'est Éric, Rachid, Thérèse, Catherine, ou François?

A    B    C    D    E

**1b** Qui est-ce?

1 Elle est sportive.
2 Il est un peu égoïste.
3 Elle aime faire du shopping.

4 Il est têtu.
5 Il est bavard.
6 Elle est bavarde.

**1c** C'est quel mot? Trouve les paires.

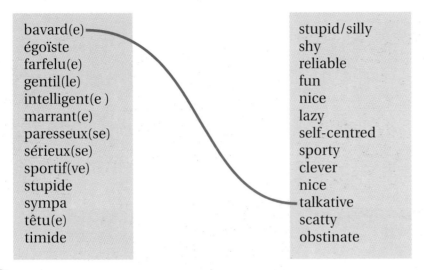

| | |
|---|---|
| bavard(e) | stupid/silly |
| égoïste | shy |
| farfelu(e) | reliable |
| gentil(le) | fun |
| intelligent(e) | nice |
| marrant(e) | lazy |
| paresseux(se) | self-centred |
| sérieux(se) | sporty |
| sportif(ve) | clever |
| stupide | nice |
| sympa | talkative |
| têtu(e) | scatty |
| timide | obstinate |

**1d** Qui est-ce? (1–5)

**1e** Tu es quelle sorte de personne? Interviewe ton/ta partenaire.
*Exemple: Es-tu bavard(e)? Oui, je suis bavard(e)./Non, je ne suis pas bavard(e).*

| | | | |
|---|---|---|---|
| bavard(e) | intelligent(e) | sérieux(se) | sympa |
| égoïste | marrant(e) | sportif(ve) | têtu(e) |
| gentil(le) | paresseux(se) | stupide | timide |

**2a** Choisis cinq personnes et décris-les.

*Mon copain est …*
*Ma copine est …*
*Mon frère est …*
*Ma sœur est …*
*Mon père est …*

**Et toi? Tu es comment?**
*Je suis …*

**2b** Ils sont comment?

# Bilan et Contrôle révision

I can …

| | |
|---|---|
| name ten items of clothing | des baskets, des chaussettes, des chaussures, une chemise, un chemisier, un gilet, une jupe, un pantalon, un pull, un tee-shirt |
| say what colour suits me | (Le bleu) me va bien. |
| … and what doesn't suit me | (Le rouge) ne me va pas. |

I can …

| | |
|---|---|
| ask for something in a shop | Je voudrais (un tee-shirt). |
| say what colour | blanc(he), bleu(e), gris(e), jaune, noir(e), rouge, vert(e) |
| … and size | petit, moyen, grand |
| ask the price | Ça coûte combien? |
| ask for something cheaper | Avez-vous quelque chose de moins cher? |
| say which one you will buy | Je prends ce tee-shirt/cette chemise/ces chaussures. |

I can …

| | |
|---|---|
| say how much pocket money I get | J'ai … €/livres sterling |
| say how much money I earn | Je gagne … |
| say I don't have any | Je n'ai rien. |
| say I don't earn any | Je ne gagne rien. |
| say what I do to earn it | Je fais du babysitting; Je fais la vaisselle; Je lave des voitures etc. |
| or say I don't do anything | Je ne fais rien. |
| say what I do with the money | J'achète … Je le mets de côté pour aller en vacances/pour m'acheter … |

I can …

| | |
|---|---|
| talk about problems | J'ai besoin de … gagner de l'argent/sortir avec mes copains/faire un régime d'une petite copine d'arrêter de fumer J'ai besoin d'aide. |
| say I can't | Je ne peux pas. |
| say what I am like and what someone else is like | Je suis … Il/Elle est … bavard(e)/égoïste/gentil(le)/intelligent(e) etc. |

**1** Qu'est-ce qu'ils achètent? Quelle couleur? Quelle taille? Quel prix? (1–5)

**2** Lis et trouve le bon dessin.

**A**      **B**      **C**

**D**      **E**      **F**

1   Je fais du babysitting et je gagne €15 par semaine. Je mets mon argent de côté pour les vacances.

2   Je ne fais rien mais mes parents me donnent €15 pour acheter des snacks et des bonbons.

3   Je fais la vaisselle tous les jours et j'ai €7,5 par semaine. Je les mets de côté pour acheter des CD.

4   Je lave des voitures et je gagne €45 par semaine. Je veux m'acheter un ordinateur.

5   Je m'occupe de mon petit frère et mes parents me donne €30 par semaine. Je les mets de côté pour acheter un nouveau skate.

6   J'ai un job dans un fast food et je gagne €25 pour acheter des magazines.

**3** Interviewe deux personnes. Pose les questions et note les réponses.

- Que fais-tu pour gagner de l'argent de poche?
- Tu as combien d'argent de poche par semaine?
- Que fais-tu de ton argent de poche?

**4** Écris un résumé.

**Argent de poche:**
*Moi, j'ai … Je fais … J'achète … Je mets mon argent …*
*(John) a …/fait …/achète …/met son argent …*

# Grammaire

## 1 How to say what you are wearing

Je porte …

| Masc. | Fém. | Plur. |
|-------|------|-------|
| un jean | une chemise | des baskets |

What are the French words for these? Are they masculine, feminine or plural?

A    B    C    D    E    F

## 2 How to say what colour it is/they are

Remember in French the word for the colour always comes after the noun, and has to 'agree' with it.

1 How would you say you are wearing these?

A   B   C   D   E

2 How would you say François is wearing these?

A   B   C   D   E

e.g. **un pull rouge, une jupe bleue, des baskets noires.**

## 3 How to say what colour suits you

La couleur me va.          *The colour suits me.*

Say whether these colours suit you.

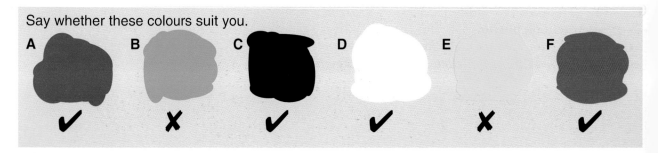

A ✔   B ✗   C ✔   D ✔   E ✗   F ✔

Le bleu me va.  *Blue suits me.*
Le noir ne me va pas.  *Black doesn't suit me.*

## 4  How to say 'this' and 'these'

*this tee-shirt* – ce tee-shirt

How would you say you prefer these?

Je préfère ...

| Masc. | Fém. | Plur. |
|-------|------|-------|
| ce (cet) | cette | ces |

## 5  How to say you need something

**1**  How would you say you need these things?

**2**  How would you say you need to do these things?

J'ai besoin de ...  *I need ...*
J'ai besoin de + infinitive  *I need to (do something)*

Remember that **de** becomes **d'** in front of a vowel.

## 6  How to describe people

Describe these people:

# En plus  *Bouge ta tête*

## Petit portrait

| | |
|---|---|
| nom: | Jonny Burp |
| âge: | 24 ans |
| lieu de naissance: | Paris |
| domicile: | Lyon |
| nationalité: | française |
| profession: | chanteur |
| groupe: | les Boos |
| musique: | rap |
| loisirs: | cinéma, planche à voile |
| couleur préférée: | le noir |
| plat préféré: | la pizza |
| animal préféré: | le chat |

**1a** Lis et réponds.

1 Comment s'appelle-t-il?
2 Il a quel âge?
3 Où est-il né?
4 Où habite-il?
5 Il est de quelle nationalité ?
6 Que fait-il dans la vie?
7 Quel est le nom de son groupe?
8 Quelle sorte de musique joue-t-il?
9 Qu'est-ce qu'il aime faire?
10 Quelle est sa couleur préférée?
11 Quel est son plat préféré?
12 Quel est son animal préféré?

**1b** Écris un article pour le journal de classe:

*Il s'appelle … il a … il est … il aime … il fait … il porte … il mange … etc.*

**2a** Sa copine. Écoute et note.

**2b** Fais son petit portrait.

| | |
|---|---|
| **nom:** | Jolly Solo |
| **âge:** | … |

**2c** Prépare des questions et fais une interview.

| | Partenaire A | Partenaire B |
|---|---|---|
| *nom:* | Hugo Brind | Martine Ploop |
| *âge:* | 18 ans | 21 ans |
| *lieu de naissance:* | Berlin | Bruxelles |
| *domicile:* | Marseille | Paris |
| *nationalité:* | allemande | belge |
| *profession:* | batteur | violoniste |
| *groupe:* | Chaotix | Café Noir |
| *musique:* | instrumentale | classique |
| *loisirs:* | théâtre | voyage |
| *couleur préférée* | le jaune | le rouge |
| *plat préféré* | le steak-frites | la salade |
| *animal préféré* | le lion | le chien |

**2d** Invente une personnalité et écris un article.

 **3a** Le groupe. Comment s'appellent-ils? (1–6)

**A**  **B**  **C**  **D**  **E**  **F**

| Tomaso | Jacinthe | Ahmed | Nathalie | Gaston | Geneviève |

 *How to say you play an instrument:*

Elle joue **de la** guitare.　　*She plays the guitar.*

Il joue **du** piano.　　　　　*He plays the piano.*

 **3b** Présente-les.

A, c'est (Ahmed). Il/Elle est grand(e)/petit(e)/de taille moyenne. Il/elle porte un pantalon … un tee-shirt … et des baskets … et il/elle joue du/de la …

**3c** Lis et réponds aux questions.

**Tomaso** n'est pas sportif. Il est paresseux. Il préfère rester à la maison et écrire ou écouter de la musique. C'est lui qui écrit les mélodies et c'est Jonny qui écrit les paroles.

**Jacinthe** est la sportive du groupe. En été elle joue au tennis et en hiver elle fait du snowboard.

**Ahmed** est marrant et bavard. Il est sympa. Il joue de la guitare et il chante aussi. Il a fait des disques en solo.

**Nathalie** est intelligente et égoïste. Elle écrit de la musique et elle chante aussi. Elle se passionne pour le cinéma.

**Geneviève** est la sérieuse du groupe. Elle est très sympa. Elle fait de la natation et de l'aérobic pour garder la forme. Elle ne boit pas d'alcool et elle fait une heure de yoga par jour.

**Gaston** est farfelu et marrant. Il est bavard. Quand on est avec lui on s'amuse. Il fait le clown, mais il joue très bien. C'est un musicien très doué.

**doué** *talented*

1 Qui aime le cinéma?
2 Qui aime le sport?
3 Qui est sérieuse?

4 Qui écrit les paroles?
5 Qui écrit les mélodies?
6 Qui a fait des disques en solo?

**3d** Choisis deux personnalités et décris-les.

Il est chanteur/footballeur/acteur. Il est grand/petit.
Elle est chanteuse/skieuse/actrice … Elle est grande/petite.
Il/Elle a les cheveux …
Il/Elle porte …
Il/Elle est (intelligent(e)/sportif/ve) etc.

**3e** Lis ton texte à haute voix. Ton/ta partenaire doit deviner qui c'est.
*Read your text out aloud. Your partner must guess who it is.*

**4a** Écoute et lis la chanson.

## Une chanson de Jonny Burp

Dis-moi, pourquoi je t'aime
Tu as les yeux qui rient*
Mais ce n'est pas ça
Dis-moi, pourquoi je t'aime.

Dis-moi, pourquoi je t'aime
Tu as les cheveux qui brillent*
Mais c'est pas ça
Dis-moi, pourquoi je t'aime.

Dis-moi, pourquoi je t'aime
Tu as la bouche qui chante
Mais c'est pas ça
Dis-moi, pourquoi je t'aime.

Dis-moi, pourquoi je t'aime
Tu es intelligente
Mais c'est pas ça
Dis-moi, pourquoi je t'aime.

Dis-moi, pourquoi je t'aime
Je t'aime parce que tu m'aimes
C'est ça
Dis-moi que tu m'aimes
et je serai contente* .

| | |
|---|---|
| *rire | *to laugh* |
| *briller | *to shine* |
| *je serai contente | *I will be happy* |

**4b** Lis le texte et réponds aux questions. Vrai, faux ou pas dans le texte?

## Le nouveau disque de Jonny Burp.
## Qu'est-ce qu'ils en pensent?

| $\frac{1}{4}$ | $\frac{1}{5}$ | $\frac{9}{2}$ | $\frac{2}{2}$ |
|---|---|---|---|
| Normalement je n'aime pas ce genre de chanson mais j'aime la musique. Les paroles sont stupides.<br><br>François | J'aime beaucoup la musique, et les paroles sont émouvantes. C'est bien. Je vais l'acheter.<br>Alima | Ça fait pas trop Boys Band mais les chansons se ressemblent toutes et ce n'est pas mon truc. La plupart du temps, on s'endort.<br>Quentin | Ça me casse les oreilles. C'est insupportable à écouter. Je n'aime pas du tout ce genre de musique. Ce n'est pas du tout pour moi.<br>Samuel |

1 François aime bien les paroles.
2 François n'aime pas la chanson.
3 Alima aime la personne qui chante.
4 Alima ne va pas l'acheter.
5 Quentin pense que ce nouveau disque ressemble à d'autres disques de Jonny Burp.
6 Quentin trouve la chanson très variée.
7 Samuel adore la chanson.
8 Samuel aime la chanson plus que François.
9 Quentin aime la chanson plus que Samuel.
10 François aime la chanson moins qu' Alima.

| | |
|---|---|
| émouvant(e) | *moving* |
| se ressembler | *to ressemble/be alike* |
| ce n'est pas mon truc | *it's not my thing* |
| s'endormir | *to fall asleep* |
| les paroles | *lyrics* |
| plus que | *more than* |
| moins que | *less than* |

**4c** Écris une chanson.

| Je t'aime | parce que | tu m'écoutes quand j'ai un problème.<br>tu as les cheveux blonds.<br>tu ne te moques pas de moi.<br>tu t'habilles à la mode.<br>tu m'aides quand j'ai un problème.<br>tu aimes les mêmes*/choses/plats/couleurs/ … que moi.<br>tu aimes la même musique que moi.<br>tu fais les mêmes sports que moi. |
| | parce qu' | on s'entend* bien. |

| | |
|---|---|
| *le/la/les même(s) … que … | *the same … as …* |
| *s'entendre bien | *to get on well* |

# Mots

| Il/Elle porte … | He/She is wearing … | Les couleurs | Colours |
|---|---|---|---|
| une chemise | shirt | blanc(he) | white |
| un chemisier | blouse | gris(e) | grey |
| un gilet | cardigan | jaune | yellow |
| un jean | jeans | noir(e) | black |
| une jupe | skirt | rouge | red |
| un pantalon | trousers | vert(e) | green |
| un polo | polo shirt | bleu(e) | blue |
| un pull | jumper | | |
| un short | shorts | **Je voudrais …** | *I would like …* |
| un sweat | sweatshirt | Je voudrais un tee-shirt. | I would like a T-shirt. |
| un tee-shirt | T-shirt | En quelle couleur ? | In what colour ? |
| des baskets | trainers | Vous faites quelle taille? | What size are you? |
| des chaussettes | socks | grand/moyen/petit | large/medium/small |
| des chaussures | shoes | en coton | cotton |
| des sandales | sandals | en jean | denim |
| des tennis | tennis shoes | en jersey | jersey |
| Ma couleur préferée c'est … | My favourite colour is … | en soie | silk |
| | | Ça coûte combien ? | How much is it ? |
| Je préfère le (rouge) parce que … | I prefer the (red one) because … | Avez-vous quelque chose de moins cher? | Do you have anything cheaper ? |

| Il/Elle porte … | He/She is wearing … | Les nombres | Numbers |
|---|---|---|---|
| La couleur me va … … parce que j'ai les yeux bleus/verts/ marron et les cheveux marron/roux/blonds/ châtains. | The colour suits me … … because I have blue/ green/brown eyes and brown/red/ blond/chestnut hair. | vingt | 20 |
| | | trente | 30 |
| | | quarante | 40 |
| Le/La (noir(e)) ne me va pas. | The (black one) doesn't suit me. | cinquante | 50 |
| | | soixante | 60 |
| Je prends le/la (rouge). | I'll buy the (red one). | soixante-dix | 70 |
| Je n'aime pas le (tee- shirt) parce que la couleur ne me va pas. | I don't like the (T-shirt) because the colour doesn't suit me. | quatre-vingts | 80 |
| | | quatre-vingt-dix | 90 |
| | | cent | 100 |

**L'argent de poche** — *Pocket money*

Tu as combien d'argent de poche? — *How much pocket money do you get?*

J'ai … €. — *I get … euros.*

Que fais-tu pour gagner de l'argent? — *What do you do for your pocket money?*

Je fais du babysitting. — *I do babysitting.*

Je m'occupe de mon petit frère/ma petite sœur. — *I look after my younger brother/sister.*

Je range ma chambre. — *I tidy my bedroom.*

Je lave des voitures. — *I clean cars.*

J'ai un job dans un fast food. — *I have a job in a fast-food outlet.*

Je ne fais rien. — *I don't do anything.*

J'aide mes parents. — *I help my parents.*

Je fais de la vaisselle. — *I wash up.*

Que fais-tu de ton argent de poche? — *What do you do with your pocket money?*

J'achète … — *I buy …*

Il/Elle achète … — *He/She buys …*

Je le mets de côté … — *I save it …*

Il/Elle le met de côté … — *He/She saves it …*

pour aller en vacances/m'acheter … — *for my holiday/to buy …*

une livre sterling — *a pound (£)*

**J'ai un problème.** — *I've got a problem.*

J'ai faim/soif. — *I'm hungry/thirsty.*

J'ai besoin … — *I need …*

… d'aide au collège — *help at school*

… d'arrêter de fumer — *to stop smoking*

… de faire un régime — *to go on a diet*

… de me faire un petit copain/une petite copine — *to have a boyfriend/girlfriend*

… de gagner de l'argent — *to earn some money*

… de sortir avec la bande — *to go out with my friends*

Je ne peux pas parler à mes parents/mon prof. — *I can't talk to my parents/my teacher.*

Mes parents ne me comprennent pas. — *My parents don't understand me.*

Il faut manger/parler/travailler/trouver … — *You need to eat/talk/work/find …*

**Il/Elle est comment ?** — *What is he/she like?*

Mon copain/frère/père est … — *My friend/brother/dad is …*

Ma copine/sœur/mère est … — *My friend/sister/mum is …*

bavard(e) — *chatty*

égoïste — *selfish*

gentil(le) — *kind*

intelligent(e) — *clever*

marrant(e) — *funny*

paresseux(euse) — *lazy*

sérieux(euse) — *serious*

sportif(ive) — *sporty*

stupide — *stupid*

sympa — *nice*

têtu(e) — *obstinate*

timide — *shy*

# 1 *À la une!*

*Understanding what is happening in the news*

• • • • • • • • • • • • • • • • • • • • • • • • • • •

**1** Manifestation de professeurs à Paris

**2** Inondations en Afrique du Sud

**3** Nouvelles du cinéma

**4** Des millions de poissons morts à cause de la pollution

**5** Éruption d'un volcan au Japon

**6** Grève de trains en France

**7** Accident sur l'autoroute

**8** Nouveau virus cybernétique

*la une  the front page*

**1a** Trouve le dessin qui correspond.

**A**

**B**

**C**

**D**

**E**

**F**

**G**

**H**

**1b** Trouve le texte qui correspond.

1 Les trains sont immobilisés.
2 La lave coule du sommet du volcan et entoure un village.
3 Trente-deux voitures carambolées dans le brouillard!
4 Le Danube pollué par des déchets industriels au cyanure. Des millions de poissons sont empoisonnés.
5 Dans le sud de l'Afrique: le Mozambique est à nouveau touché par la pluie.
6 Les professeurs du secondaire manifestent dans les rues de Paris.
7 Alerte aux nouveaux pirates: les cybercriminels et hackers sur Internet.
8 Olivia Bonamy, star de *Voyous Voyelles*, annonce sa participation à un nouveau film.

| | |
|---|---|
| couler | *to flow* |
| le sommet | *summit* |
| entourer | *to surround* |
| caramboler | *to crash into* |
| les déchets | *waste/rubbish* |
| le cyanure | *cyanide* |

**1c** Écoute et note. C'est quelle nouvelle? (1–8)
*Listen and note down which news item it is.*

**2a** Trouve les phrases qui correspondent.

1 Ils se disputent. Le frère de Raphaël le tape.

2 La police appelle une ambulance. On l'emmène à l'hôpital.

3 Raphaël et son frère jouent au foot.

4 Raphaël tombe dans la rue.

5 Les deux frères vont au supermarché. Ils achètent une bouteille de coca.

6 Une voiture de police le renverse. Il est grièvement blessé.

**2b** Mets les mots dans le bon ordre. Trouve le bon titre pour chaque image.
*Put the words in the correct order and find the right title for each picture.*

| * se disputer | *to quarrel* |
| --- | --- |
| *taper | *to hit* |
| *blessé(e) | *hurt* |
| *emmener | *to take* |

A rails Accident sur les

B Marseille fermiers Manifestation des à

C France le de Inondation dans sud la

D devant Jeune le supermarché blessée fille

## 2 *L'interview de la semaine: la jeune danseuse, Carmen Herraro*

**Reading an interview in a magazine**

- Comment t'appelles-tu?
- Je m'appelle Carmen.

- Quel âge as-tu?
- J'ai seize ans.

- Quelle est la date de ton anniversaire?
- Le 14 juillet.

- Quel est ton signe astrologique?
- Cancer.

- Tu es de quelle nationalité?
- Je suis française mais mon père est d'origine espagnole.

- Où habites-tu?
- Toulouse.

- Tu y habites depuis quand?
- J'ai toujours habité Toulouse. J'y suis née.

- As-tu des frères et sœurs?
- Oui, j'ai deux petits frères.

- Que fais-tu de ton temps libre?
- Je fais du flamenco.

- Qui est ton chanteur préféré?
- Mon chanteur préféré, c'est Francis Cabrel.

- Qui est ta chanteuse préférée?
- Ma chanteuse préférée, c'est Céline Dion.

- Quel est ton plat préféré?
- J'adore les plats espagnols. Mon plat préféré, c'est la tortilla.

- Qu'est-ce que tu aimes?
- J'aime danser, j'aime la musique, j'aime le soleil et j'aime ma famille.

- Qu'est-ce que tu n'aimes pas?
- Ce que je n'aime pas, c'est le sport, la guerre, le racisme et le racket.

| la guerre | *war* |
| le racisme | *racism* |
| le racket | *bullying* |

**1a** Lis et écoute l'interview.

 **1b** Vrai ou faux?

1  Elle est danseuse.
2  Elle a 15 ans.
3  Son anniversaire est le douze juillet.
4  Elle est espagnole.
5  Elle habite à Toulouse.
6  Elle est née à Toulouse.
7  Elle n'a pas de frères et sœurs.
8  Son plat préféré est un plat espagnol.
9  Elle aime jouer au tennis et faire du vélo.
10  Elle n'aime pas le racisme.

**1c** À deux: Vérifiez vos réponses.

● *Elle est danseuse?*          ● *Vrai/Faux* etc.

**1d** Fais un rapport.

*Elle s'appelle … elle a … elle est … etc.*

### Rappel

When you are talking about yourself you use the **je** form.

When you are talking about someone else you use the **il/elle** form.

**Examples:**

| je m'appelle | j'ai | je suis | je fais |
|---|---|---|---|
| il/elle s'appelle | il/elle a | il/elle est | il/elle fait |

 **2a** Écoute l'interview et note les réponses.

*Les signes du zodiaque*

Bélier  Taureau  Gémeaux  Cancer  Lion  Vierge

Balance  Scorpion  Sagittaire  Capricorne  Verseau  Poissons

1  nom
2  âge
3  anniversaire
4  signe astrologique
5  nationalité
6  domicile
7  depuis combien de temps?
8  famille
9  loisirs
10  plat préféré
11  aime
12  n'aime pas

**2b** Fais un résumé.

*Il/Elle …*

# 3 Un documentaire

*Asking questions in an interview*

## Tour du monde en solitaire

Comment vous appelez-vous?
**Je m'appelle Frédéric Leblanc.**

Que faites-vous comme métier?
**Je suis navigateur.**

Que faites-vous en ce moment?
**Je prépare un long voyage.**

Où allez-vous?
**Je vais faire le tour du monde.**

Avec qui allez-vous autour du monde?
**Je pars tout seul.**

Comment s'appelle votre bateau?
**Le bateau, il s'appelle 'Dauphin'.**

Comment trouvez-vous la route?
**Je navigue par satellite.**

Qui navigue quand vous dormez?
**Il y a un pilote automatique.**

Comment restez-vous en contact?
**J'ai un téléphone-fax.**

Quel est votre équipement le plus important?
**Un ouvre-boîte.**

Qu'est-ce que vous avez en cas de naufrage?
**J'ai un radeau de survie et une combinaison étanche.**

**un radeau
de survie**

**une combinaison
étanche**

| un ouvre-boîte | *a tin-opener* |
| un naufrage | *a shipwreck* |

| *you* | *your* |
|---|---|
| tu | ton/ta |
| vous | votre |

 **1a** Lis et écoute.

**1b** Lis et réponds. Frédéric Leblanc fait un voyage.

1 Que fait-il comme métier? Il est …
2 Que fait-il en ce moment? Il prépare …
3 Où va-t-il? Il va …
4 Avec qui y va-t-il? Il y va …
5 Comment s'appelle son bateau? Il s'appelle …
6 Comment fait-il pour trouver sa route? Il navigue …
7 Qui navigue quand il dort? Il y a un …
8 Comment reste-t-il en contact? Il a …
9 Quel est son équipement le plus important? Son …
10 Qu'est-ce qu'il a en cas de naufrage? Il a …

| Rappel: | question words |
|---|---|
| Combien? | How many? |
| Comment? | How? |
| Où? | Where? |
| Quand? | When? |
| Que …? | What? |
| Qu'est-ce que …? | What? |
| Quel/quelle …? | Which …? |
| Qui? | Who? |
| Avez-vous …? | Have you …? |

**1c** À deux. Vérifiez vos réponses.

● *Il est …*          ● *Vrai./Faux.*

| toutes les (4) heures | every (4) hours |
|---|---|
| **l'eau de pluie** | rainwater |

**2a** Écoute l'interview et choisis la bonne réponse.

1 Il mange (**a**) du fromage (**b**) des fruits.
2 Il boit (**a**) du coca (**b**) de l'eau.
3 Il trouve les repas (**a**) ennuyeux (**b**) super.
4 Il dort dans (**a**) le bateau (**b**) la cabine.
5 Il dort toutes les (**a**) quatre heures
   (**b**) trois heures.

6 Il se lave avec (**a**) du savon
   (**b**) de l'eau de pluie.
7 Son prochain port est Le Cap en
   (**a**) Afrique du Sud (**b**) Afrique du Nord.
8 Il a une radio pour écouter
   (**a**) de la musique (**b**) la météo.

**2b** Interviewe Henri Gauthier et Bérénice Duval.

| | Henri Gauthier | Bérénice Duval |
|---|---|---|
| 1 Où allez-vous? | **dans le jungle** | **dans le désert** |
| 2 Quand partez-vous? | 4 JUIN | 28 MAI |
| 3 Vous partez pour combien de jours? | ×10 | ×15 |
| 4 Quel est votre équipement le plus important? | **un canif** | **un bidon** |
| 5 Qui va avec vous? | | |
| 6 Avez-vous une voiture? | | |

**2c** Écris l'interview.
*(Vouvoyer!)*

**Mini-test**                                    **I can …**

● understand headlines        ● understand written and spoken interviews
   and short news items        ● write a short summary

# 4 *Un sondage*

*Reading and understanding a survey*

| au bord de la mer | à la campagne | en montagne | en ville | rester à la maison |
|:---:|:---:|:---:|:---:|:---:|
| 12 | 3 | 4 | 1 | 0 |

**1a** Regarde le tableau. Vrai or faux?

1  Il n'y a personne qui préfère aller en ville.
2  La destination préférée est la plage.
3  Il y a plus de personnes qui préfèrent aller à la campagne que d'aller en montagne.
4  Il y a moins de personnes qui préfèrent aller au bord de la mer que d'aller à la campagne.
5  Il y a une personne qui aime visiter une ville.

**1b** Fais le résumé.
*Douze personnes préfèrent …*

> *Le* détective
>
> *How to say nobody:*
> Il n'y a personne qui préfère …
> *Nobody prefers …*
> Personne ne préfère …

> *Le* détective
>
> *If you are talking about more than one person you use the plural (**ils/elles**) form. This form usually sounds the same as the **il/elle** form but you must remember to add **–nt** when writing it, e.g. **il/elle préfère**; **ils/elles préfèrent**.*
> *These verbs are irregular and sound different:*
> faire – il/elle fait; **ils/elles font**
> aller – (va) vont; **ils/elles vont**
> boire – (boit) boivent; **ils/elles boivent**
>
> **Pour en savoir plus ➡ page 139, pt 1.3**

**1c** Écoute et complète le tableau.

**1d** Vérifiez vos résponses: D'accord ou pas?
*Cinq personnes préfèrent …*
*Vrai./Faux./Je ne sais pas.*

**2a** Que font-ils et qu'est-ce qu'ils ne font pas? Écoute et complète la grille.

|  | Magali | Mathieu | Aïcha | Fanch | Emmanuelle | Mon/ma partenaire |
|---|---|---|---|---|---|---|
|  |  |  |  |  |  |  |
|  |  |  |  |  |  |  |
|  |  |  |  |  |  |  |
|  |  |  |  |  |  |  |
|  |  |  |  |  |  |  |
|  |  |  |  |  |  |  |
| **autre** |  |  |  |  |  |  |

**2b** Interviewe ton/ta partenaire et note les résponses dans la grille.

- (Magali), fais-tu du vélo?
- Oui, j'aime./Non./Jamais./Je déteste faire du vélo.
- Joues-tu au foot?
- Oui./Non./Certainement pas.
- Manges-tu des escargots?
- Oui./Non./Non, je ne les mange pas.
- Bois-tu du coca?
- Oui, j'aime./Non, c'est trop sucré.
- Vas-tu au cinéma?
- Oui, j'adore aller au cinéma./Non.
- Lis-tu des livres?
- Oui./Non, pas beaucoup, je préfère les magazines.
- Regardes-tu la télé?
- Oui, je la regarde tous les soirs./Non.
- Qu'est-ce que tu aimes faire?
- J'aime …

**2c** Fais un sondage. Choisis une question. Interviewe 10 personnes et note les résultats.

Fais-tu …?
Manges-tu …?
Vas-tu …?
Aimes-tu jouer au …?

# 5 *La météo*

## *Talking about the weather*

• • • • • • • • • • • • • • • • •

**1a** Brainstorming. Quel temps fait-il? Trouve la phrase qui correspond.

- A, qu'est-ce que c'est?
- Il y a du soleil.

| | |
|---|---|
| **il pleut/neige/gèle** | **il y a du soleil/vent/brouillard** |
| **il fait beau/gris/froid/chaud** | **il y a des nuages/orages** |

**1b** Écoute et note. Quel temps va-t-il faire?

| | le nord | l'ouest | le sud | l'est | en montagne |
|---|---|---|---|---|---|
| *aujourd'hui* | | | | | |
| *demain* | | | | | |
| *après-demain* | | | | | |

**après-demain** *the day after tomorrrow*

**1c** À deux. Posez les questions et donnez les réponses à tour de rôle.

Quel temps va-t-il faire (aujourd'hui) (dans le nord) ?

| | | |
|---|---|---|
| **dans le (nord/sud/est/ouest)** | **il va** | **faire beau** |
| **en montagne** | | **y avoir du soleil/brouillard**<br>**y avoir des orages/nuages**<br>**y avoir de la pluie/neige** |
| | | **le vent va souffler (fort)** |

**Rappel:** **le futur proche**

When talking about what is going to happen you use the verb 'to go' just as in English.

| | |
|---|---|
| Il va faire beau. | *It is going to be fine.* |
| Il va y avoir de la pluie. | *It is going to rain.* |
| Le vent va souffler. | *The wind will blow.* |

**2a** La météo pour demain. Copie et complète la grille.

| région | matin | après-midi | soir |
| --- | --- | --- | --- |
|  |  |  |  |

# Prévisions pour demain par région

## Le nord
Demain matin il va y avoir du brouillard, dans l'après-midi il va pleuvoir et le soir le brouillard va revenir.

## L'ouest
La journée va commencer sous la pluie mais le beau temps va arriver de l'ouest pendant l'après-midi. Le soir il va y avoir du brouillard.

## L'est
La journée va commencer avec du brouillard mais le soleil va arriver vers l'après-midi. Il va faire beau et chaud. Le soir il va faire froid.

## Le sud
La journée va être caracterisée par le soleil et le beau temps mais les orages vont arriver vers le soir.

## En montagne
La journée va commencer ensoleillée mais il va y avoir de la neige pendant l'après-midi. Le soir il va faire très froid.

**2b** Fais la météo pour le Royaume-Uni.

*Demain (il va …)*

# Bilan et Contrôle révision

I can …
> understand what is happening in the news

Il y a …
une éruption d'un volcan au Japon.
une manifestation de professeurs à Paris.
une grève de trains en France.
des inondations en Afrique du Sud.
un accident sur l'autoroute.

I can …
> carry out an interview using the tu *form*

Comment t'appelles-tu?
Quel âge as-tu?
Quelle est la date de ton anniversaire?
Quel est ton signe astrologique?
Tu es de quelle nationalité?
Où habites-tu? etc.

Qui est ton chanteur préféré/ta
chanteuse préférée?
Quel est ton plat préféré?
As-tu des frères et sœurs?

> carry out an interview using the vous *form*

Comment vous appelez-vous?
Que faites-vous?
Où allez-vous?
Quand partez-vous?

> Carry out a survey and report back using
> the il/elle *form*

Il y a (une) personne qui préfère …

> Report back using the ils/elles *form*

(Cinq personnes) préfèrent …

I can …
> say what the weather is like …

Il y a du brouillard/du soleil/du vent/
des orages/des nuages.
Il pleut/neige/gèle.
Il fait chaud/froid/beau/gris.

> … and say what it is going to be like

Dans le (nord/sud) …
En montagne …
il va faire beau
il y avoir du soleil/du brouillard/de la
pluie/des orages/
le vent va souffler (fort)

**1** Petit portrait. Copie et complète.

Nom …                    Nationalité …              Plat préféré …
Âge …                    Domicile depuis …          Aime …
Anniversaire …           Famille …                  N'aime pas …
Signe astrologique …     Loisirs …

 **2** Lis et réponds aux questions.

Bernard Piaget va faire la traversée en solitaire du désert du Sahara en montgolfière. Il part de Toulouse le 14 juillet et il espère arriver quatre jours plus tard. Il va faire des photos aériennes du désert et étudier le temps. Il a une radio pour garder le contact avec son équipe qui va le suivre en Landrover.

1 Où va-t-il?
2 Quand part-il?
3 La traversée va durer combien de jours?
4 Que va-t-il faire?
5 Qui va y aller en Landrover?

 **3** Interviewe ton/ta partenaire.

|                          | **Partenaire A** | **Partenaire B** |
| ------------------------ | ---------------- | ---------------- |
| Où allez-vous?           |                  |                  |
| Vous êtes combien?       | 2                | 1                |
| Comment y allez-vous?    | Landrover        | ballon           |
| Quand partez-vous?       | 4 août           | 23 septembre     |
| Qui va avec vous?        | Jules            | ✘                |
| Avez-vous une radio?     | ✔                | ✘                |

 **4** Écris la météo pour demain.

# Grammaire

## 1 Talking about other people and recounting events

When you are talking about yourself you use the **je** form.
When you are talking about someone else you use the **il/elle** form.

| | |
|---|---|
| je m'appelle | il/elle s'appelle |
| j'habite | il/elle habite |
| j'ai | il/elle a |
| je suis | il/elle est |
| je fais | il/elle fait |

**-er** verbs end in **e**, e.g. **je joue; il joue.**

Verbs which end in **–s** in the **je** form usually end in **–t** in the **il/elle** form, e.g. **je fais – il fait**

Write a report about these people.

A

**24 ANS MARSEILLE**

Jean-Luc

B

**22 ANS MONTRÉAL**

Marie-Thérèse

## 2 Asking questions using question words

| | | | |
|---|---|---|---|
| Qui ? | *Who?* | Que ... ? Qu'est-ce que ... ? | *What?* |
| Comment? | *How?* | Quel/quelle ... ? | *Which ... ?* |
| Où? | *Where?* | Combien? | *How many?* |
| Quand? | *When?* | Qu'est-ce que (c'est)? | *What (is it/that)?* |

You can also invert the subject and the verb, e.g. **As-tu/Avez-vous ...?**

Add the missing word(s).

1 .............. t'appelles-tu?

2 .............. âge as-tu?

3 .............. est la date de ton anniversaire?

4 Tu y habites depuis ......... ?

5 ......... -tu des frères et sœurs?

6 ......... fais-tu pendant ton temps libre?

7 ......... est ton chanteur préféré?

8 ........... est  ton signe astrologique?

9 Tu es de ......... nationalité?

10 ........... habites-tu?

11 ......... est ta chanteuse préférée?

12 ......... est ton plat préféré?

13 ......... tu aimes?

14 ......... tu n'aimes pas?

## 3 Reporting back about more than one person

Une personne préfère ...

... personnes préfèrent ...

If you are talking about one person you use the singular (the **il/elle** form).
If you are talking about more than one person you use the plural (**ils/elles** form).

| *Singulier* | | *Pluriel* | |
|---|---|---|---|
| Une personne | préfère | Deux personnes | préfèrent |
| | fait | | font |
| | joue | | jouent |
| | mange | | mangent |
| | boit | | boivent |
| | va | | vont |
| | lit | | lisent |
| | regarde | | regardent |
| | aime | | aiment |

**1** How would you say what these people do?

Ils/Elles ...

A   B   C   D   E

## 4 Saying what the weather is going to be like

Rappel: **le futur proche**

When talking about what is going to happen, you use the verb 'to go' just as in English.

| e.g. | Il va faire beau. | *It's going to be fine.* |
|---|---|---|
| | Il va y avoir de la pluie. | *It is going to rain.* |
| | Le vent va souffler. | *The wind will blow.* |

What is the weather going to be like tomorrow?

A   B   C   D   E   F

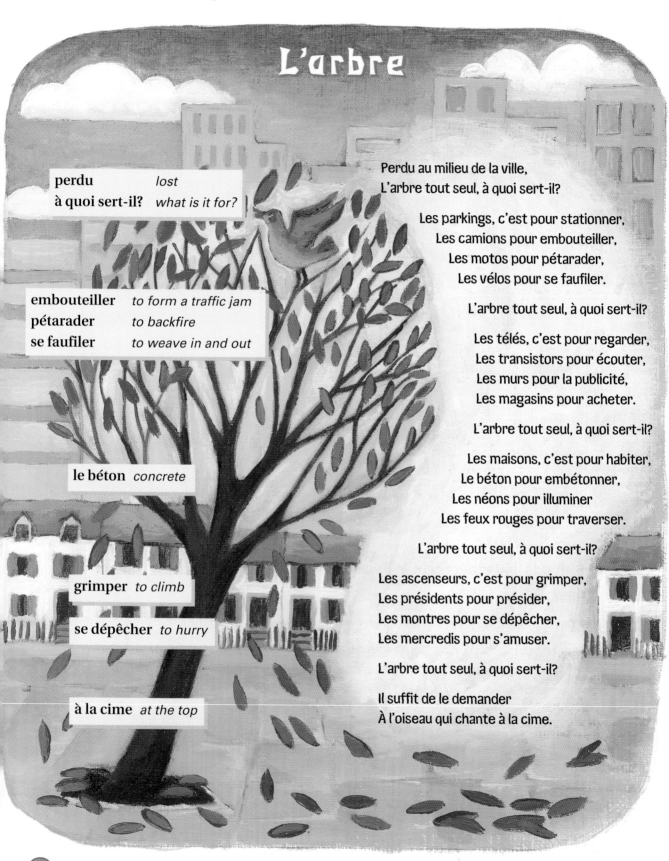

## L'arbre

perdu — *lost*
à quoi sert-il? — *what is it for?*

embouteiller — *to form a traffic jam*
pétarader — *to backfire*
se faufiler — *to weave in and out*

le béton — *concrete*

grimper — *to climb*

se dépêcher — *to hurry*

à la cime — *at the top*

Perdu au milieu de la ville,
L'arbre tout seul, à quoi sert-il?

Les parkings, c'est pour stationner,
Les camions pour embouteiller,
Les motos pour pétarader,
Les vélos pour se faufiler.

L'arbre tout seul, à quoi sert-il?

Les télés, c'est pour regarder,
Les transistors pour écouter,
Les murs pour la publicité,
Les magasins pour acheter.

L'arbre tout seul, à quoi sert-il?

Les maisons, c'est pour habiter,
Le béton pour embétonner,
Les néons pour illuminer
Les feux rouges pour traverser.

L'arbre tout seul, à quoi sert-il?

Les ascenseurs, c'est pour grimper,
Les présidents pour présider,
Les montres pour se dépêcher,
Les mercredis pour s'amuser.

L'arbre tout seul, à quoi sert-il?

Il suffit de le demander
À l'oiseau qui chante à la cime.

**1a**  Lis et écoute.

**1b**  Lis le poème à haute voix. Choisis un vers à apprendre par cœur.
*Read the poem out aloud. Choose a verse to learn by heart.*

**2**  Écris un poème alphabet. Copie et complète le poème avec les mots ci-dessous.
*Write an alphabetical poem. Copy and complete the poem using the words underneath each verse.*

Les affaires c'est pour …
La boîte, c'est pour …
Les cadeaux c'est pour …
La douche, c'est pour …
L'école, c'est pour …

> **apprendre   donner   se laver   ouvrir   ranger**

Et la fleur, à quoi sert-elle?

Le gâteau, c'est pour …
L'hypermarché, c'est pour …
L' immeuble, c'est pour …
Le jean, c'est pour …
Le kayak, c'est pour …

> **acheter   manger   habiter   pagayer   porter**

Et la fleur, à quoi sert-elle?

La lampe, c'est pour …
La maman, c'est pour …
Noël, c'est pour …
L'œil, c'est pour …
Le poisson, c'est pour …

> **attraper   écouter   fêter   regarder   voir**

Et la fleur, à quoi sert-elle?

La queue, c'est pour …
Le réveil, c'est pour …
Le surf, c'est pour …
La table, c'est pour …
La une, c'est pour …

> | le réveil | *alarm clock* |
> |---|---|
> | la une | *front page of a newspaper* |

> **agiter   s'amuser   lire   mettre   réveiller**

Et la fleur, à quoi sert-elle?

Le vent, c'est pour …
Le web, c'est pour …
Le xylophone, c'est pour …
Le yacht, c'est pour …
Et le zigzag, c'est pour …

> **jouer   surfer   souffler   naviguer   zigzaguer**

Mais la fleur, à quoi sert-elle?

Je m'appelle Denis. J'ai quatorze ans et j'habite à la Réunion. C'est une île dans l'océan Indien. La capitale s'appelle Saint-Denis.

Je suis réunionnais. Je suis né à la Réunion, mais mon grand-père est d'origine française. À la maison je parle créole, mais au collège on parle français.

J'habite en centre-ville. Nous avons un grand jardin, avec une piscine pour se baigner et un barbecue pour faire des grillades.

Les endormis (c'est le nom réunionnais pour les caméléons) viennent souvent se chauffer sur notre véranda.

Je suis sportif et je fais beaucoup de natation, de roller et de skate.

Mon oncle a un bateau et le dimanche on va à la pêche, mais en été il faut faire attention et écouter la météo parce que c'est la saison des cyclones.

Quand il y a un cyclone on rentre à la maison, on ferme les portes et les fenêtres. Il y a un orage, il pleut très fort, le vent souffle fort, la mer fait de grosses vagues et il n'y a pas de collège! Ça peut durer plusieurs jours. Après le cyclone il y a des feuilles et des arbres tombés partout.

Cette année ma classe a replanté cinquante arbres.

**Denis**

| | |
|---|---|
| **se chauffer** | *to warm/heat up* |
| **les vagues** | *waves* |
| **durer** | *to last* |

**3b** Lis et réponds.

1 Où habite Denis?
2 Où se trouve la Réunion?
3 Quel âge a-t-il?
4 Il est de quelle nationalité?
5 Son grand-père est de quelle nationalité?
6 Où se trouve sa maison?
7 Qu'est-ce qu'il y a dans le jardin?
8 Que sont les endormis?
9 Qu'est-ce qu'il aime faire?
10 Que fait-il avec son oncle?
11 Que fait-on quand il y a un cyclone?
12 Pourquoi aime-t-il le mauvais temps?

**4a** La météo. Copie et complète la grille.

|  | *nord et ouest* | *sud et est* |
|---|---|---|
| **matin** |  |  |
| **après-midi** |  |  |
| **soir** |  |  |
| **nuit** |  |  |

**4b** Faites des recherches. Visitez: www.runisland.com.

**4c** Prépare un site web pour ton île imaginaire.

# Mots

| À la une | On the front page |
|---|---|
| à cause de/d' | *due to* |
| un accident | *accident* |
| une autoroute | *motorway* |
| le virus cybernetique | *computer bug* |
| une éruption | *eruption* |
| une grève | *strike* |
| une inondation | *flood* |
| une manifestation | *demonstration* |
| mort(s) | *killed* |
| les nouvelles | *news* |
| un poisson | *fish* |
| la pollution | *pollution* |
| les professeurs | *teachers* |
| le volcan | *volcano* |

| Les signes du zodiaque | Signs of the zodiac |
|---|---|
| Bélier | *Aries* |
| Taureau | *Taurus* |
| Gémeaux | *Gemini* |
| Cancer | *Cancer* |
| Lion | *Leo* |
| Vierge | *Virgo* |
| Balance | *Libra* |
| Scorpion | *Scorpio* |
| Sagittaire | *Sagittarius* |
| Capricorne | *Capricorn* |
| Verseau | *Aquarius* |
| Poissons | *Pisces* |

| Une interview | An interview |
|---|---|
| Comment t'appelles-tu? | *What is your name?* |
| Quel âge as-tu? | *How old are you?* |
| Quelle est la date de ton anniversaire? | *When is your birthday?* |
| Quel est ton signe astrologique? | *What is your star sign?* |
| Tu es de quelle nationalité? | *What nationality are you?* |
| Où habites-tu? | *Where do you live?* |
| As-tu des frères et sœurs? | *Have you got any brothers and sisters?* |
| Que fais-tu de ton temps libre? | *What do you do in your free time?* |
| Qui est ton chanteur préféré/ta chanteuse préférée? | *Who is your favourite singer?* |
| Quel est ton plat préféré? | *What is your favourite meal?* |
| Qu'est-ce que tu aimes? | *What do you like doing?* |
| Qu'est-ce que tu n'aimes pas? | *What don't you like doing?* |
| Comment vous appelez-vous? | *What is your name?* |
| Où allez-vous? | *Where are you going?* |
| Quand partez-vous? | *When do you leave?* |
| Vous partez pour combien de jours? | *How long are you going for?* |
| Quel est votre équipement le plus important? | *What is your most important piece of equipment?* |
| Qui va avec vous? | *Who is going with you?* |
| Avez-vous une voiture? | *Do you have a car?* |
| | |
| un appareil photo | *camera* |
| un bidon | *container* |
| un canif | *penknife* |
| un navigateur | *sailor* |
| naviguer par satellite | *to navigate by satellite* |
| tout seul | *alone* |

| Questions | *Questions* | La météo | *The weather forecast* |
|---|---|---|---|
| Combien? | *How much?* | Il gèle. | *It is freezing.* |
| Comment? | *How?* | Il neige. | *It is snowing.* |
| Où? | *Where?* | Il pleut. | *It is raining.* |
| Quand? | *When?* | Il fait beau/chaud/ froid/gris. | *The weather is good/ hot/cold/dull.* |
| Que/Qu'est-ce que … ? | *What … ?* | | |
| Quel/Quelle … ? | *Which …?* | Il y a … | *It is …* |
| Qui? | *Who?* | du brouillard | *foggy* |
| Avez-vous … ? | *Do you have … ?* | des orages | *stormy* |
| | | du soleil | *sunny* |

| Un sondage | *A questionnaire* | du vent | *windy* |
|---|---|---|---|
| Une personne préfère … | *One person prefers …* | aujourd'hui | *today* |
| | | demain | *tomorrow* |
| Deux personnes préfèrent … | *Two people prefer …* | après-demain | *the day after tomorrow* |
| Il n'y a personne qui préfère … | *Nobody prefers …* | Il va y avoir … | *It will be …* |
| aller à la campagne | *to go to the country* | des orages/de la pluie | *stormy/rainy* |
| aller au bord de la mer | *to go to the seaside* | Il va faire beau/du brouillard/du soleil | *It will be fine/foggy/ sunny* |
| aller en montagne | *to go to the mountains* | Le vent va souffler (fort). | *It will be (very) windy.* |
| rester à la maison | *to stay at home* | le nord | *north* |
| visiter une ville | *to visit a town* | le sud | *south* |
| Il/Elle fait … | *He/She does …* | l'ouest | *west* |
| Ils/Elles font … | *They do …* | l'est | *east* |
| Il/Elle joue … | *He/She plays …* | en montagne | *in the mountains* |
| Ils/Elles jouent … | *They play …* | | |
| Il/Elle mange … | *He/She eats …* | | |
| Ils/Elles mangent … | *They eat …* | | |
| Il/Elle va … | *He/She goes …* | | |
| Ils/Elles vont … | *They go …* | | |
| Il/Elle lit … | *He/She reads …* | | |
| Ils/Elles lisent … | *They read* | | |
| Il/Elle regarde … | *He/She watches …* | | |
| Ils/Elles regardent … | *They watch …* | | |
| Il/Elle aime … | *He/She likes …* | | |
| Ils/Elles aiment … | *They like …* | | |

MODULE **1** L'HEXAGONE

# À toi! A

LIRE

**1** Où habitent Danièle, Alain et Fatima? Remplis la grille.

|  | *Ville* | *Où* | *Combien de temps?* | *Aime?* | *Pourquoi?* |
|---|---|---|---|---|---|
| Danièle |  |  |  |  |  |
| Alain |  |  |  |  |  |
| Fatima |  |  |  |  |  |

J'habite à Mulhouse. C'est dans l'est de la France. C'est une ville industrielle. On fait des voitures Peugeot ici. J'habite ici depuis deux ans. Je n'aime pas habiter ici parce que on ne peut pas faire de canoë ou d'escalade.

**Danièle**

J'habite à Marseille. C'est un grand port commercial. Il se trouve dans le sud de la France. Il y a de grands bateaux dans le port. J'habite ici depuis trois ans. J'aime habiter ici parce qu'on peut faire de la plongée et de la planche à voile.

**Alain**

J'habite à Cannes. C'est une ville touristique. Elle se trouve sur la côte d'Azur, dans le sud de la France. Il y a beaucoup de touristes. J'habite ici depuis toujours. Je suis née à Cannes. J'adore habiter ici parce qu'on peut aller à la plage et on peut se baigner.

**Fatima**

ECRIRE

**2** Tu habites à Bonneville-sur-mer. C'est comment?

J'habite à …
C'est une grande/petite ville (industrielle/commerciale/pittoresque/ historique)
C'est dans le (nord/sud) …
J'habite ici depuis …
J'aime habiter/Je n'aime pas habiter ici parce qu'on peut …

ECRIRE

**3** Et toi? Où habites-tu? C'est comment?

# À toi! B

**1** Copie et remplis la grille.

| avec qui |  |  |  |  |  |  | autre | n'aime pas |
|---|---|---|---|---|---|---|---|---|
| 1 | | | | | | | | |
| 2 | | | | | | | | |

**1** Hier, je suis allé à Aqua Park avec mon frère. J'ai nagé, j'ai joué au volley-ball, j'ai bavardé avec mes copains et j'ai mangé au snack, mais je n'ai pas fait de canoë, parce que je n'aime pas ça. **Frédérique**

**2** Je suis allée à Aqua Park avec ma sœur, et j'ai joué au tennis, j'ai nagé, j'ai bu un Orangina et j'ai joué au minigolf, mais je n'ai pas joué au volley-ball parce que je n'aime pas ça. **Argentelle**

**3** Je suis allé à Aqua Park avec mes copains et j'ai nagé, j'ai joué au volley-ball, j'ai dragué les filles et j'ai fait du vélo mais je n'ai pas joué au tennis parce que je n'aime pas ça. **Mathieu**

**4** Hier je suis allé à Aqua Park avec ma copine, et j'ai nagé, j'ai joué au tennis, j'ai fait du VTT. Puis j'ai mangé un burger et j'ai bu un coca mais je n'ai pas joué au volley parce que je n'aime pas ça. **Ahmed**

**5** Hier je suis allée à Aqua Park avec mon copain. J'ai bavardé, j'ai nagé, j'ai écouté de la musique et j'ai fait du canoë mais je n'ai pas mangé parce que je n'aime pas les burgers. **Lætitia**

**2** Hier tu es allé(e) à Aqua Park. Décris ce que tu as fait.

Hier je suis allé(e) à Aqua Park avec  .

J'ai

mais je n'ai pas fait de  ou de parce que je n'aime pas ça.

**1** Trouve la photo qui correspond.

**1** Ça c'est ma mère. Elle s'appelle Adeline. Elle a trente-huit ans et elle est informaticienne.

**2** Mon père s'appelle Jacques, il a quarante-deux ans et il travaille dans une banque.

**3** Mes grands-parents s'appellent Jocelyn et Armand et ils ont soixante et soixante-quatre ans. Ils habitent une ferme à la campagne et ils s'occupent des animaux.

**4** Ma demi-sœur s'appelle Déborah. Elle a dix-neuf ans et elle est infirmière.

**5** Mon demi-frère a vingt ans. Il s'appelle Hervé et il est étudiant.

**6** Le chien s'appelle Bruno, il a trois ans, et il aide mes grands-parents à la ferme.

**2** Où habitent-ils?

J'habite une petite maison à deux étages. Nous avons un grand jardin.  **Laurent**

J'habite un appartment au troisième étage. Nous avons un balcon mais nous n'avons pas de jardin.  **Adrien**

J'habite une maison en ville. Nous n'avons pas de garage.  L

**3** Où habites-tu? C'est comment?

**A**

**B**

## MODULE 2 — J'ARRIVE — À toi! B

**1 Trouve la phrase qui correspond.**

A B C D E F

1 J'ai faim.
2 J'ai soif.
3 J'ai froid.
4 Je suis fatigué(e).
5 J'ai chaud.
6 J'ai mal à la tête.

**2 Trouve la bonne réponse à chaque question.**

1 Avez-vous un pull pour moi?
2 Avez-vous des aspirines?
3 Avez-vous une serviette pour moi?
4 Est-ce que je peux avoir quelque chose à boire?
5 Est-ce que je peux avoir quelque chose à manger?
6 Est-ce que je peux aller au lit?

A Voilà des comprimés. C'est comme de l'aspirine.
B Quelle taille, petit, moyen ou grand?
C Du chocolat chaud ou du coca?
D Oui, tu peux te coucher.
E Un sandwich au jambon, ça te va?
F Il y en a une sur ton lit.

**3 Est-ce que tu peux … ? Que dis-tu?**

A B C D E F G

MODULE
PROGRAMME DE LA VISITE

# À toi! A

**1** Qu'est-ce qu'ils vont faire demain? Trouve les images qui correspondent.

A    B    C    D    E    F    G

H    I    J

K    L    M

|   | matin | après-midi | soir |
|---|-------|------------|------|
| 1 |       |            |      |
| 2 |       |            |      |
| 3 |       |            |      |
| 4 |       |            |      |
| 5 |       |            |      |

**1** Demain, c'est samedi et le matin tu vas jouer au foot. L'après-midi on va faire une balade à vélo dans la forêt avec Gilles, et le soir nous allons regarder une vidéo chez Maurice.

**2** Demain tu vas aller au château Beauregard. Tu vas pique-niquer dans le parc et tu vas visiter le château. L'après-midi tu vas faire du kayak sur la rivière et le soir on va manger au restaurant.

**3** Demain on va prendre le bus pour aller en ville faire du shopping. On va déjeuner au snack et l'après-midi on va aller à la piscine. Le soir on va chez Muriel pour regarder une vidéo.

**4** Demain matin tu vas rester à la maison. L'après-midi on va en ville et le soir on va à une boum chez Mélissa. Elle va faire une barbecue.

**5** Demain matin tu vas faire une balade à vélo dans la forêt. Tu vas pique-niquer au bord de la rivière et l'après-midi on va faire du kayak. Le soir on va dîner au restaurant et puis on va jouer aux cartes.

ÉCRIRE

**2** Sylvain vient chez vous. Explique-lui ce qu'il va faire.

Demain matin on va …  .     L'après-midi on va   .

Le soir on va   .     Dimanche matin tu vas   .

L'après-midi tu vas  .     Le soir tu vas      .

# À toi! B

MODULE 3
PROGRAMME DE LA VISITE

**LIRE**

## 1 Où veulent-ils aller?

*Where do they want to go?*

1 Je voudrais des aspirines.
2 Je voudrais voir un film avec Brad Pitt.
3 J'ai un nouveau maillot de bain.
4 Je vais acheter des timbres.
5 Je prends le train pour rentrer.

Où est la gare?
Où est la poste?
Où est le cinéma?
Où est la pharmacie?
Où est la piscine?

**LIRE**

## 2 Où vont-ils?

1 Vous prenez la première rue à droite.
2 Vous allez tout droit et traversez le pont.
3 Vous prenez la deuxième rue à gauche.
4 Vous prenez la première rue à gauche.
5 Vous allez tout droit, traversez le pont et tournez à droite.
6 Vous prenez le bus! C'est loin!

Vous êtes ici

**ÉCRIRE**

## 3 Donnez des directions.

1 l'hypermarché   2 l'hôpital   3 l'hôtel   4 le parc   5 la banque

**1** Que font-ils pour garder la forme? Combien de fois par semaine?

| | *activité* | *combien de fois* |
|---|---|---|
| 1 | | |
| 2 | | |

1 Je fais du jogging deux fois par semaine et de la musculation une fois par semaine.

2 Je fais du taï-chi le mercredi et le dimanche et je fais du jogging le vendredi et le samedi.

3 Je ne fais rien.

4 Je fais du cyclisme trois fois par semaine et de la musculation une fois par semaine.

5 Je fais de la natation le lundi, mardi, jeudi et vendredi matin avant d'aller au collège et le mercredi après-midi.

6 J'ai un cours de danse trois fois par semaine et je fais une heure d'aérobic tous les jours.

**2** Que mangent et boivent-ils?

*Exemple:* Pour le pétit déjeuner, Corinne mange des céréales et boit du chocolat chaud.

**petit déjeuner**          **déjeuner**          **dîner**

Corinne

Aurélie

Marc

Nicole

**Choisis une personne et donne-lui un conseil.**
*Choose one person and give them some advice.*

# À toi! B

**1** Trouve les images qui correspondent.

**A**      **B**      **C**      **D**      **E**

**F**      **G**      **H**      **I**      **J**

1  Ce que je mange? Eh bien, des burgers, des frites ou des chips.  **Paul**
2  Pour aller en ville? Non, je n'y vais pas à pied, je prends le bus.  **Stéphanie**
3  As-tu une cigarette pour moi? Je n'en ai plus.  **Yannick**
4  Je ne me couche jamais avant 10 heures.  **Isabelle**
5  Je n'aime pas sortir, je préfère rester à la maison et lire un livre.  **Jamel**
6  Je voudrais un coca, s'il vous plaît.  **Marc**
7  Mon casque? Si, je fais du VTT, mais … je ne porte pas de casque.  **Roman**
8  Je vais me faire bronzer mais je ne mets pas de crème anti-solaire, pour bronzer plus rapidement.  **Françoise**
9  J'adore regarder la télé, j'ai une télé dans ma chambre et je regarde des films le soir quand j'ai fini mes devoirs.  **Olivier**
10  Je déteste le sport. Je n'en fais pas.  **Aïcha**

**2** Choisis trois personnes et donne-leur un conseil.

| Il ne faut pas manger …    boire …    fumer …    prendre … | | parce que ce n'est pas bon pour la santé. |
|---|---|---|
| Il faut manger …    boire …    faire …    regarder …    mettre … | plus de … | pour garder la forme. |
| Il faut marcher davantage. | | |

À toi! A

# À toi! A

## LIRE
**1** Lis. Qui est-ce?

**A**  **B**  **C**  **D**

1 Je porte un tee-shirt bleu, un jean bleu et des tennis blanches. **Jérémie**
2 Je porte un polo blanc, un jean bleu, des chaussettes blanches et des baskets noires. **Lucille**
3 Je porte un polo rose, un pantalon noir et des chaussures bleues. **Nicolas**
4 Je porte un tee-shirt rouge, un pantalon noir et des baskets rouges. **Amande**

## ÉCRIRE
**2** À minuit ils se lèvent. Que mettent-ils?

*Exemple: Amande met un polo rose …*

1 Dans le noir Amande met le polo de Nicolas, le pantalon de Lucille et les chaussures de Nicolas.
2 Nicolas met le tee-shirt d'Amande, le jean bleu de Jérémie et les baskets et les chaussettes de Lucille.
3 Lucille met le tee-shirt et les tennis de Jérémie et le pantalon d'Amande.
4 Jérémie met le polo de Lucille, le pantalon de Nicolas et les baskets d'Amande.

## LIRE
**3** Qui est-ce?

**A**  **B**

1 J'ai besoin d'arrêter de fumer.
2 J'ai besoin de faire un régime.
3 J'ai besoin de sortir avec la bande.

## ÉCRIRE
**4** Tu as quels problèmes?

# À toi! B

**1** Argent de poche. Trouve les images qui correspondent.

**A**   **B**   **C**   **D**   **E**

**F**   **G**  **H**  **I**  **J**

1 Pour gagner de l'argent de poche je fais du babysitting pour une amie de ma mère. Elle va à un cours le jeudi soir et je m'occupe de son petit enfant. Je mets mon argent de côté pour les vacances.

2 Si je range ma chambre mes parents me donnent de l'argent de poche. Je mets l'argent de côté pour acheter des CD.

3 Pour avoir de l'argent de poche je fais la vaisselle et je passe l'aspirateur. Je mets mon argent de côté pour acheter un téléphone portable, parce que mon copain en a un.

4 Pour gagner de l'argent je lave la voiture. J'achète des magazines et des snacks.

5 Si j'ai de bonnes notes mes parents me donnent de l'argent. Je dépense mon argent pour acheter des vêtements.

**2** Que font-ils pour gagner de l'argent et que font-ils avec leur argent?

*Exemple: Pour gagner de l'argent (Florence) fait … Elle achète …/met son argent de côté pour …*

**Florence**   **Damien**   **Jules**   **Delphine**

**3** Qui est … ?

bavard(e)   timide   égoïste   intelligent(e)   gentil(le)   marrant(e)   stupide

1 Laurent ne parle pas beaucoup.
2 Luc fait des bêtises.
3 Martin parle tout le temps.
4 Hélène aide toujours les autres.

5 Simon est drôle.
6 Aurélie ne pense pas aux autres.
7 Nathan a de bonnes notes.

**4** Ils sont comment?

**Patrice**   **Charlotte**

cent trente-cinq **135**

# À toi! A

**1** Lis l'interview et réponds aux questions.

Comment t'appelles-tu?
*Je m'appelle Carlo.*
Quel âge as-tu?
*J'ai seize ans.*
Quelle est la date de ton anniversaire?
*Le 26 octobre.*
Quel est ton signe astrologique?
*Scorpion.*
Tu es de quelle nationalité ?
*Je suis italien.*
Où habites-tu?
*Paris.*
Tu y habites depuis quand?
*J'habite ici depuis dix ans.*
As-tu des frères et sœurs?
*Oui, j'ai trois petits frères et une petite sœur.*
Que fais-tu de ton temps libre?
*Je joue de la guitare et je chante.*
Quel est ton plat préféré?
*J'adore les pâtes, les spaghettis et les pizzas.*
Qu'est-ce que tu aimes?
*J'aime la musique, j'aime le soleil et j'aime ma famille.*
Qu'est-ce que tu n'aimes pas?
*Ce que je n'aime pas, c'est la pluie et la pollution.*

1 Comment s'appelle-t-il ?
2 Il a quel âge?
3 Quel est son signe astrologique?
4 Il est de quelle nationalité?
5 Où habite-il?
6 Il y habite depuis quand?
7 A-t-il des frères et sœurs?
8 Que fait-il de son temps libre?
9 Quel est son plat préféré?
10 Qu'est-ce qu'il aime et qu'est-ce qu'il n'aime pas?

**2** Écris un article sur Véréna Muller. Copie et complète le texte avec les mots donnés.

Véréna Muller … 18 ans. Elle … suisse, mais elle … à Paris depuis 10 ans. Elle … français et espagnol. Elle est très sportive. Elle … de la planche à voile et elle … au volley-ball. Elle … les pâtes, les spaghettis et les pizzas et elle … de l'eau. Elle … la musique pop, le soleil et la famille. Elle … la pluie et la pollution.

| a | aime | boit | déteste | est | fait | habite | joue | mange | parle |

**1** Lis les réponses et trouve les questions qui correspondent.

a Je m'appelle Daniel Dufour.
b Je suis photographe animalier.
c Je prépare un long voyage.
d Je vais en Afrique.
e Je pars tout seul.
f Trois mois.
g Dans deux jours.
h En mon Landrover.
i J'ai un sac de couchage et une tente.
j J'ai un téléphone portable.

1 Avec qui partez-vous?
2 Comment restez-vous en contact?
3 Comment vous appelez-vous?
4 Comment voyagez-vous ?
5 Où allez-vous ?
6 Où dormez-vous?
7 Combien de temps y restez-vous?
8 Quand partez-vous?
9 Que faites-vous comme métier?
10 Que faites-vous en ce moment?

**2** Écris un article 'Daniel Dufour: photographe extraordinaire'.

**3** Fais une interview avec Gérard Beaulieu, biologiste.

5 septembre
1 mois

# Grammaire

## 1 Verbs

Verbs are action words. They describe what someone or something does, e.g.
I go; you eat; the boy plays.

When you look a verb up in the dictionary, it is given in the infinitive, e.g. to be – **être**; to do – **faire**; to eat – **manger**; to have – **avoir**; to live – **habiter**; to play – **jouer.**

### 1.1 Which form to use

| | | |
|---|---|---|
| When you talk about yourself | (I) | use the **je** form of the verb. |
| When you talk to a friend | (you) | use the **tu** form of the verb. |
| When you talk about someone else | (he/she) | use the **il/elle** form of the verb. |
| When you talk about us | (we) | use the **nous** form of the verb. |
| If you are talking to an older person or a group of people | (you) | use the **vous** form of the verb. |
| If you are talking about a group of people | (they) | use the **ils/elles** form of the verb. |

In French they sometimes use **on** (one) to translate 'we'. **On** takes the **il/elle** form of the verb e.g. On va en ville. *We are going to town.*

### 1.2 Regular *-er* verbs

Most verbs which end in **-er** follow the same pattern.

jouer – *to play*

| *Singulier* | | *Pluriel* | |
|---|---|---|---|
| je joue | *I play* | nous jouons | *we play* |
| tu joues | *you play* | vous jouez | *you play* |
| il/elle joue | *he/she plays* | ils/elles jouent | *they play* |

 Although the spelling changes, the **je, tu, il/elle** and **ils/elles** form all sound the same!

Other **-er** verbs:
aimer       *to like*
écouter     *to listen*
habiter     *to live*
regarder    *to watch*

### 1.3 Irregular verbs

Some of the most useful verbs are irregular. Irregular verbs have a pattern of their own so you need to learn them.

avoir – *to have*

| *Singulier* | *Pluriel* |
|---|---|
| j'ai *I have* | nous avons *we have* |
| tu as *you have* | vous avez *you have* |
| il/elle a *he/she has* | ils/elles ont *they have* |

être – *to be*

| *Singulier* | *Pluriel* |
|---|---|
| je suis *I am* | nous sommes *we are* |
| tu es *you are* | vous êtes *you are* |
| il/elle est *he/she is* | ils/elles sont *they are* |

faire – *to do*

| *Singulier* | *Pluriel* |
|---|---|
| je fais *I do* | nous faisons *we do* |
| tu fais *you do* | vous faites *you do* |
| il/elle fait *he/she does* | ils/elles font *they do* |

aller – *to go*

| *Singulier* | *Pluriel* |
|---|---|
| je vais *I go* | nous allons *we go* |
| tu vas *you go* | vous allez *you go* |
| il/elle va *he/she goes* | ils/elles vont *they go* |

### 1.4 Reflexive verbs

Some verbs are called 'reflexive' verbs because they add **me/te/se/nous/vous** in front of the verb, e.g. **se coucher** – *to go to bed.*

| *Singulier* | *Pluriel* |
|---|---|
| je me couche *I go to bed* | nous nous couchons *we go to bed* |
| tu te couches *you go to bed* | vous vous couchez *you go to bed* |
| il/elle se couche *he/she goes to bed* | ils/elles se couchent *they go to bed* |

These verbs behave in the same way:

| | | |
|---|---|---|
| s'appeler | *to be called* | (je m'appelle) |
| se réveiller | *to wake up* | (je me réveille) |
| se lever | *to get up* | (je me lève) |
| se doucher | *to have a shower* | (je me douche) |
| s'habiller | *to get dressed* | (je m'habille) |
| se laver | *to get washed* | (je me lave) |

Before a vowel or 'h', **me/te/se** becomes **m'/t'/s'**.

### 1.5 The imperative

You use the imperative when you are giving instructions or directions. The imperative is the 'you' form of the verb without the 'you', e.g. go, listen, be quiet. In French you use the **tu** or **vous** form without the **tu** or **vous**. In the **tu** form -**er** verbs drop the final –**s**, e.g. **regarde**, **joue**.

Remember you use the **tu** form when speaking to someone you know well or someone younger, e.g. **vas, écoute, mange**. You use the **vous** form when talking to someone older, someone you don't know or more than one person, e.g. **allez, écoutez, mangez**.

Reflexive verbs have a reflexive pronoun, e.g. **Tais-toi, Taisez-vous, Assieds-toi, Asseyez-vous**.

### 1.6 The near future (*le futur proche*)

You use the near future to talk about what you are going to do. In French you use the verb 'to go' (**aller**) just as you do in English, e.g.

| | |
|---|---|
| Je vais aller … | *I am going to go …* |
| Tu vas voir le film. | *You are going to see the film.* |
| Il va manger un croissant. | *He is going to eat a croissant.* |
| Nous allons faire une balade en vélo. | *We are going to go for a bike ride.* |
| Vous allez jouer au basket. | *You are going to play basketball.* |
| Ils/Elles vont aller en ville. | *They are going to go to town.* |

## 1.7 Talking about the past (*le passé composé*)

You use the perfect tense to talk about the past. In French this is called the **passé composé** because it is 'composed' of two parts: the auxiliary or 'helper' verb and the past participle.

| *Part 1:* *auxiliary* | *Part 2:* *past participle* | |
|---|---|---|
| J'ai | acheté. | *I have bought.* |
| J'ai | vu. | *I have seen.* |
| Il a | mangé. | *He has eaten.* |

Part 1 is the helper verb (**avoir** or **être**).
Part 2 is the past participle of the main verb.

Most verbs 'go with' **avoir** (just as in English) but in French some verbs 'go with' **être**.

| 1 | 2 | |
|---|---|---|
| Je suis | allé(e). | *I have (literally: am) gone.* |
| Ils sont | rentrés. | *They have (literally: are) returned.* |

 **aller** and **rentrer** are two of the verbs which 'go with' **être**.
When you are writing you have to remember to make the past participle 'agree', but when you are speaking you can't hear the difference, e.g. **Il est allé. Elle est allée**.

To make the past participle of a verb which ends in **–er**, you take off the **–er** and add **é**, e.g.

| | |
|---|---|
| acheter | acheté |
| aimer | aimé |
| habiter | habité |
| manger | mangé |
| regarder | regardé |
| parler | parlé |
| porter | porté |

Some verbs have irregular past participles but they are quite easy to remember!

| | | | |
|---|---|---|---|
| avoir | eu | faire | fait |
| boire | bu | écrire | écrit |
| voir | vu | | |
| lire | lu | | |

## 1.8    The negative: saying you don't do something

You put **ne** in front of the verb and **pas** after it.

| | |
|---|---|
| Je ne mange pas. | *I don't eat.* |
| Je ne bois pas. | *I don't drink.* |
| Il ne va pas en ville. | *He isn't going to town.* |

To say you never do it, use **ne ... jamais**.
Je ne mange jamais de frites. *I never eat chips.*

To say you don't do anything, use **ne ... rien**.
Je ne fais rien ce soir. *I am not doing anything this evening.*

## 1.9    The interrogative: asking a question

You use the **tu** or **vous** form.

You can ask a question:

**a**  *by raising your voice;*
Tu as un crayon?

**b**  *by changing the order;*
As-tu un crayon?

When you are asking about someone else, you have to add **–t** to make it easier to pronounce e.g. **A-t-il/elle un crayon?**

**c**  *or by putting* Est-ce que ... *in front of the question.*
Est-ce que tu peux m'aider?

## 1.10   The conditional: saying 'I would ...'

To say you 'would' do something you use the part of the verb called 'the conditional'.

vouloir  *to want*

| | | | |
|---|---|---|---|
| je voudrais | *I would like* | nous voudrions | *we would like* |
| tu voudrais | *you would like* | vous voudriez | *you would like* |
| il/elle voudrait | *he/she would like* | ils/elles voudraient | *they would like* |

Other useful forms of the conditional:

| | |
|---|---|
| je pourrais | *I could* |
| j'aimerais | *I would like* |

## 1.11  Since: *depuis*

In English we use the perfect tense to say how long we have been doing something. In French you use **depuis** (since) and the present tense.

e.g. *I have lived in Paris for ten years.* – J'habite à Paris depuis dix ans.
(*Literally: I live in Paris since 10 years.*)

*I have been learning French for two years.* – J'apprends le français depuis deux ans. (*Literally: I learn French since 2 years.*)

## 1.12 Saying what you *have* to do

| | |
|---|---|
| Il faut + infinitive | *It is necessary to …* |
| Il faut aller en ville. | *You have to go to town.* |
| Il faut cliquer sur … | *You have to click on…* |

Saying what you need:

| | |
|---|---|
| Il me faut | *I need* |
| Il te faut | *You need* |

## 1.13 Expressions with *avoir*

In French they use **avoir** in some expressions where we use the verb 'to be' in English.

| | |
|---|---|
| I am 14 years old. | *J'ai quatorze ans.* |
| I am thirsty. | *J'ai soif.* |
| I am hungry. | *J'ai faim.* |
| I am hot/cold. | *J'ai chaud/froid.* |
| I need … | *J'ai besoin de …* |

## 1.14 Saying you like doing something

In French you say you like 'to' do something , e.g.

| | |
|---|---|
| J'aime aller en ville. | *I like going to town.* |
| J'aime jouer au football. | *I like playing football.* |
| J'aime jouer de la guitare. | *I like playing the guitar.* |

Notice you use **jouer à/au** with sports and **jouer de la/du** with musical instruments.

## 1.15 Saying you can do something

Use **on peut** + infinitive.

| | |
|---|---|
| On peut jouer au tennis. | *You can play tennis.* |
| On peut aller en ville. | *You can go to town.* |

## 2 Nouns

Nouns are naming words. In English you can use the word 'a' or 'the' in front of a noun.

## 2.1 Gender (masculine and feminine)

Remember that all French nouns are either masculine or feminine (he or she). In French there is no word for 'it'.

| | | | |
|---|---|---|---|
| le livre | *the book* | Il est grand. | *It is big (literally: he is big).* |
| la table | *the table* | Elle est petite. | *It is small (literally: she is small).* |

The words for 'the' and 'a':

|  | *Masculin* | *Féminin* | *Pluriel* |
|---|---|---|---|
| *the* | le (l') | la (l') | les |
| *a* | un | une | des |

Remember you use **l'** before words which begin with a vowel or a silent 'h', e.g. **l'eau** – *water*.

## 2.2    The plural

You use the plural if you are talking about more than one person or thing. To make the plural most words add **–s** (just as in English) but you don't pronounce it.
e.g. un frère, deux frères  *one brother, two brothers.*

Words which already end in **–s** stay the same, e.g.
un bras, deux bras  *one arm, two arms.*

Some words which end in **–ou**, **–eau** and **–eu** add an **x**, e.g.
un genou, deux genoux  *one knee, two knees*
un château, deux châteaux  *one castle, two castles.*

Some words which end in **–al** end in **–aux** in the plural, e.g.
un animal, deux animaux; un journal, deux journaux.

## 2.3    Saying 'some': *de + le/la/l'/les*

|  | *Masculin* | *Féminin* | *Pluriel* |
|---|---|---|---|
| *the* | le (l') | la  (l') | les |
| *some* | du (de l') | de la (de l') | des |
|  | du pain | de la confiture | des céréales |

We don't always use 'some' in English but in French they always put it in, e.g.

Je mange des céréales.    *I eat (some) cereals.*
Je bois du lait.    *I drink (some) milk.*

But if you say you don't eat them use **de** or **d'** instead.

Je ne mange pas de pain.
de confiture.
de céréales.
Je ne bois pas d'eau.

## 2.4    Saying 'to': *à + le/la/l'/les*
When used in front of **le/la/les** the pronoun **à** (to) also combines with it.

| *Masculin* | *Féminin* | *Pluriel* |
|---|---|---|
| au (à l') | à la (à l') | aux |

au cinéma   *to the cinema*
à la piscine   *to the swimming pool*
à l'école   *to the school*
aux toilettes   *to the toilet(s)*

## 3   Adjectives

Adjectives are describing words. In French they have to 'agree' with the person or thing they are describing. Most adjectives add **–e** when you are talking about a girl or something feminine, **–s** when used with something in the masculine plural and **–es** in the feminine plural.

### 3.1   How to say big, small, blue, blonde, etc.

|        | *Singulier* | | *Pluriel* | |
|        | *Masc.* | *Fém.* | *Masc.* | *Fém.* |
|--------|---------|--------|---------|--------|
| *big*    | grand  | grande  | grands  | grandes |
| *small*  | petit  | petite  | petits  | petites |
| *blue*   | bleu   | bleue   | bleus   | bleues  |
| *blonde* | blond  | blonde  | blonds  | blondes |
| *rouge*  | rouge  | rouge   | rouges  | rouges  |

Words which already end in **–e** stay the same in the singular.

### 3.2   The comparative: saying something is bigger/smaller

This is called the 'comparative' because you are comparing two things.

You use **plus grand(e)** or **plus petit(e)**.

| *Masculin* | *Féminin* |
|------------|-----------|
| Christophe est plus grand que Jérôme. | Virginie est plus grande que Chloë. |
| *Christophe is bigger than Jérôme.* | *Virginie is bigger than Chloë.* |
| Jérôme est plus petit que Christophe. | Chloë est plus petite que Virginie. |
| *Jérôme is smaller than Christophe.* | *Chloë is smaller than Virginie.* |

### 3.3   The superlative: saying who is biggest or smallest

This is called the superlative because they are the best/biggest/smallest of a group.

| *Masculin* | *Féminin* |
|------------|-----------|
| Jérôme est le plus grand. | Virginie est la plus grande. |
| *Jérôme is the biggest.* | *Virginie is the biggest.* |
| Christophe est le plus petit. | Chloë est la plus petite. |
| *Christophe is the smallest.* | *Chloë is the smallest.* |

### 3.4 Possessive adjectives: 'my', 'your', 'his/her' and 'our'

|  | Singulier | | Pluriel | |
|---|---|---|---|---|
|  | Masc. | Fém. | Masc. | Fém. |
| my friend(s) | mon copain | ma copine | mes copains | mes copines |
| your friend(s) | ton copain | ta copine | tes copains | tes copines |
| his/her friend(s) | son copain | sa copine | ses copains | ses copines |
| our friend(s) | notre copain | notre copine | nos copains | nos copines |

 Notice there is only one word for both 'his' and 'her' in French.

### 3.5 Saying 'this' or 'these'

| Masculin | Féminin | Pluriel |
|---|---|---|
| ce (cet) | cette | ces |
| ce livre | cette maison | ces chaussures |

> In the masculine you use **cet** with words which begin with a vowel or 'h', e.g. **cet hôtel**.

## 4 Prepositions

Some prepostions tell you where something is.

| dans | in | devant | in front of | derrière | behind |
|---|---|---|---|---|---|
| entre | between | en face de | opposite | près de | near to |
| sous | under | sur | on | en | in |

Other useful prepositions:

| à | to | de | of | avec | with | | |
|---|---|---|---|---|---|---|---|
| sans | without | pour | for | après | after | depuis | for/since |

## 5 Question words

These words introduce a question:

| Quel/Quelle ...? | Which ...? | Comment? | How? Pardon? | Qui? | Who? |
|---|---|---|---|---|---|
| Combien? | How many/much? | Quand? | When? | Où? | Where? |
| Qu'est-ce que c'est? | What is this? | Que? | What? | | |

## 6 Conjunctions

Conjunctions are useful joining words.

| et | and | mais | but | puis | then |
|---|---|---|---|---|---|
| ensuite | next | alors | then | après | after |

## 7 Expressing an opinion

C'est génial; super; cool; intéressant; pas mal; fatigant; ennuyeux; nul

## 8    The alphabet and accents

| | | |
|---|---|---|
| a  ah | j  jee* | s  ess |
| b  bay | k  ka | t  tay |
| c  say | l  ell | u  euh* |
| d  day | m  em | v  vay |
| e  uh* | n  en | w  dooblah vay |
| f  eff | o  oh | x  icks |
| g  j'ai* | p  pay | y  ee grec |
| h  ash | q  kue* | z  zed |
| i  ee | r  err | |

* These are the ones which are hard to say.

The **accent aigu** é  is only found on an 'e' and changes the sound to 'ay'.
The **accent grave** è changes the 'e' sound to 'eh'.
The **accent grave** on à sounds 'ah'.
The **accent circonflexe** is found on â ê î ô û, but does not appreciably change the sound.
The **cédille** is only found on **ç** and it keeps the 'c' sound 'soft' as in **français**.

## 9    Numbers

| | | |
|---|---|---|
| 1 un | 15 quinze | 71 soixante et onze |
| 2 deux | 16 seize | 75 soixante-quinze |
| 3 trois | 17 dix-sept | 80 quatre-vingts |
| 4 quatre | 18 dix-huit | 81 quatre-vingt-un |
| 5 cinq | 19 dix-neuf | 85 quatre-vingt-cinq |
| 6 six | 20 vingt | 90 quatre-vingt-dix |
| 7 sept | 21 vingt et un | 91 quatre-vingt-onze |
| 8 huit | 22 vingt-deux | 99 quatre-vingt-dix-neuf |
| 9 neuf | 30 trente | 100 cent |
| 10 dix | 40 quarante | 101 cent un |
| 11 onze | 50 cinquante | 200 deux cents |
| 12 douze | 60 soixante | 201 deux cent un |
| 13 treize | 65 soixante-cinq | 1000 mille |
| 14 quatorze | 70 soixante-dix | |

### first and last

premier/première *first*
deuxième *second*

troisième *third*
dernier/dernière *last*

## 10 Quantities

beaucoup de *a lot of*        trop de *too much*        assez de *enough*

1kg    un kilo
250g    deux cent cinquante grammes        200g    deux cents grammes
500g    cinq cents grammes        100g    cent grammes

Grammaire

## 11 Time expressions

| | | | |
|---|---|---|---|
| quand? | *when?* | aujourd'hui | *today* |
| demain | *tomorrow* | hier | *yesterday* |
| cet après-midi | *this afternoon* | ce matin | *this morning* |
| | | ce soir | *this evening, tonight* |

**Days of the week:** les jours de la semaine

lundi   mardi   mercredi   jeudi   vendredi   samedi   dimanche

**Months of the year:** les mois de l'année

janvier  février  mars  avril  mai  juin  juillet  août  septembre  octobre  novembre   décembre

e.g. Mon anniversaire est le (quinze août).

## 12 Telling the time

| | |
|---|---|
| Il est une heure. | *It is one o'clock.* |
| Il est deux heures. | *It is two o'clock.* |
| Il est deux heures dix. | *It is ten past two.* |
| Il est deux heures et quart. | *It is quarter past two.* |
| Il est deux heures et demie. | *It is half past two.* |
| Il est trois heures moins le quart. | *It is quarter to three.* |
| Il est trois heures moins cinq. | *It is five to three.* |

Remember that in France they use the 24 hr clock, so 5 p.m. becomes 17h00 (**dix-sept heures**) and 7 p.m. becomes 21h00 (**vingt et une heures**) etc.

# Vocabulaire français–anglais

## A

d' **abord** *first of all*
**absolument** *absolutely*
un **accident** *an accident*
**accompagner** *to go with*
j'ai **acheté** *I bought*
**acheter** *to buy*
un(e) **acteur/trice** *an actor/tress*
**actif/ive** *active*
une **activité physique** *a physical activity*
l' **actu(alité) (f)** *current events*
j' **adore ça** *I love it*
**adorer** *to adore, to love*
un(e) **adulte** *an adult*
**aérien(ne)** *aerial*
l' **aérobic (f)** *aerobics*
**aéronautique** *related to aircrafts*
des **affaires** *belongings*
**africain(e)** *African*
l' **Afrique du Nord (f)** *North Africa*
l' **Afrique du Sud (f)** *South Africa*
l' **âge (m)** *age*
un **agenda** *a diary*
**agiter** *to wag (tail)*
un(e) **agriculteur/trice** *a farmer*
l' **agriculture (f)** *agriculture*
j' **ai** *I have*
**aider** *to help*
un **aigle** *an eagle*
ce que je n' **aime pas, c'est…** *what I don't like is…*
j' **aime bien** *I like (it)*
je t' **aime** *I love you*
**aimer** *to like, to love*
l' **alcool (m)** *alcohol*
**alerte à (f)… …***warning*
un **aliment** *food*
l' **alimentation (f)** *food*
l' **Allemagne (f)** *Germany*
**allemand(e)** *German*
**aller** *to go*
**aller au lit** *to go to bed*
je suis **allé(e)** *I went*
les **Alpes (fpl)** *the Alps*
l' **alphabet (m)** *the alphabet*
l' **Alsace (f)** *Alsace region*
**alsacien(ne)** *Alsatian*
à une **altitude de** *at an altitude of*
l' **ambiance (f)** *the atmosphere*
une **ambulance** *an ambulance*
**américain(e)** *American*
l' **Amérique du Sud (f)** *South America*
un(e) **ami(e)** *a friend*
s' **amuser** *to enjoy oneself*

un **an** *a year*
**ancien(ne)** *old*
l' **Angleterre (f)** *England*
un **animal** *an animal*
des **animaux** *animals*
une **année** *a year*
un **anniversaire** *birthday*
**annoncer** *to announce*
il a 14 **ans** *he's 14 years old*
un **appartement** *a flat*
**appeler** *to call*
s' **appeler** *to be called*
je m' **appelle** *my name is*
**apporter** *to bring*
**après** *after*
**après-demain** *the day after tomorrow*
l' **après-midi (m)** *the afternoon*
**apprendre** *to learn*
**aquatique** *aquatic*
un **arbre** *a tree*
l' **argent (m)** *money*
mettre de l'**argent de côté** *to save money*
l' **argent de poche (m)** *pocket money*
**arracher à** *to snatch from*
l' **arrêt de bus (m)** *the bus stop*
**arrêter** *to stop*
mes **arrière-grands-parents (mpl)** *my great-grandparents*
**arriver** *to arrive*
l' **art moderne (m)** *modern art*
un **article** *an article*
un **ascenseur** *a lift*
un **aspirateur** *a hoover*
de l' **aspirine (f)** *aspirine*
**assembler** *to put together*
s' **asseoir** *to sit down*
**asseyez-vous** *sit down (vous command)*
**assez** *enough, quite*
pas **assez de…** *not enough…*
une **assiette** *a plate*
**assis(e)** *sat down*
faire **attention** *to be careful*
**attraper** *to catch*
**aujourd'hui** *today*
**aussi** *also, too*
**authentique** *authentic*
une **autoroute** *a motorway*
**autre** *other*
**autre chose** *something else*
les **autres (m/fpl)** *the others*
d' **autrefois** *from the past*
**avec** *with*
une **averse** *a rain shower*
**avez-vous…?** *have you (got)…?*
un **avion** *an aeroplane*

**avoir** *to have*
nous **avons** *we have*

## B

faire du **babysitting** *to babysit*
le **badminton** *badminton*
se **baigner** *to bathe*
**baisser** *to lower*
une **balade à vélo** *a bike ride*
se **balader** *to go for a stroll*
une **balançoire** *a swing*
un **balcon** *a balcony*
un **ballon** *a ball*
une **banane** *a banana*
une **bande** *a gang*
une **banque** *a bank*
un **barbecue** *a barbecue*
en **bas** *downstairs*
le **basket(-ball)** *basketball*
des **baskets (fpl)** *trainers*
un **bassin** *a pool*
un **bateau** *a boat*
la **batterie** *the drums*
un **batteur** *a drummer*
**bavard(e)** *chatty*
j'ai **bavardé** *I chatted*
**bavarder** *to chat*
**beau** *good-looking (m)*
il fait **beau** *the weather's fine*
**beaucoup de** *many*
le **beau temps** *nice weather*
**belge** *Belgian*
la **Belgique** *Belgium*
**belle** *good-looking (f)*
j'ai **besoin de** *I need*
une **bêtise** *a stupid thing*
du **béton** *concrete*
le **beurre** *butter*
**bien** *good, well*
**bien sûr** *of course*
**bienvenu(e)** *welcome*
une **bière** *a beer*
un **biscuit** *a biscuit*
**blanc(he)** *white*
**blessé(e)** *injured*
**bleu(e)** *blue*
**blond(e)** *blond*
le **bœuf** *beef*
**bof!** *dunno!*
**boire** *to drink*
une **boîte** *a tin*
un **bol** *a bowl*
un **bonbon** *a sweet*
**bonjour** *hello*
**bon(ne)** *good*
de **bonne heure** *very early*
un **bonnet** *a swimming cap*
le **bord** *the edge*
au **bord de la mer** *at the seaside*
la **bouche** *the mouth*
**bouger** *to move*
un **boulevard** *a boulevard*
une **boum** *a party*
une **bouteille** *a bottle*

une bouteille d'eau *water bottle*
une boutique *a shop*
le bowling *bowling*
le bras *the arm*
la Bretagne *Brittany*
le breton *Breton (language)*
briller *to shine*
(se faire) bronzer *to get a tan*
le brouillard *fog*
j'ai bu *I drank*
un burger *a hamburger*
en bus *by bus*
un but *a goal, an aim*
buvez! *drink! (vous command)*

## C

ça *that, it*
un cadeau *a present*
un café *a coffee / a café*
calculer *to calculate*
calme *quiet*
un caméléon *a cameleon*
un camion *a lorry*
la campagne *the countryside*
le camping *the camp site, camping*
le Canada *Canada*
le cancer *cancer*
le canoë *canoeing*
la cantine *the canteen*
la capitale *the capital*
en car *by coach*
caractérisé par *characterised by*
carambolé(e) *in a pile-up*
une carotte *a carrot*
un carrefour *a junction*
une carte *a card*
jouer aux cartes *to play cards*
une carte postale *a postcard*
en cas de *in case of*
un casque *a helmet*
casser *to break*
une cassette *a tape*
une cathédrale *a cathedral*
à cause de *due to*
ça va? *are you all right?*
la cave *the cellar*
ce *this (m)*
une centrale nucléaire *a nuclear plant*
le centre *the centre*
le centre commercial *the shopping centre*
le centre-ville *the town centre*
des céréales (fpl) *cereals*
ces *these*
c'est *it is*
c'est-à-dire *i.e, that is (to say)*
cet *this (m) (in front of vowel or silent 'h')*
c'était *it was*
cette *this (f)*
une chaîne de montagnes *a mountain range*

la chambre *the bedroom*
un champion *a champion*
une chanson *a song*
chanter *to sing*
un(e) chanteur/euse *a singer*
chaque *each*
un chariot *a trolley*
charmant(e) *charming*
un chat *a cat*
châtain *chestnut brown*
un château *a castle*
il fait chaud *it's hot*
j'ai chaud *I'm hot*
se chauffer *to warm oneself*
des chaussettes (fpl) *socks*
des chaussures (fpl) *shoes*
le chemin de fer *the railway*
une cheminée *a fireplace*
une chemise *a shirt*
un chemisier *a blouse*
cher/chère *expensive, dear*
chercher *to look for, to seek*
un cheval *a horse*
des chevaux (mpl) *horses*
les cheveux (mpl) *hair*
chez Marc *at Marc's house*
chez moi *at my house, at home*
un chien *a dog*
un chiffre arabe *an Arabic numeral*
un chimpanzé *a chimpanzee*
la Chine *China*
des chips (fpl) *crisps*
un chocolat chaud *a hot chocolate*
choisir *to choose*
au chômage *unemployed*
une chose *a thing*
la cime *tree top*
le cinéma *the cinema*
en classe *in class*
classique *classical*
faire le clown *to mess about*
le club des jeunes *the youthclub*
un coca *a Coke*
par cœur *by heart*
un(e) coiffeur/euse *a hairdresser*
un coin-repas *a dining area*
le collège *secondary school (ages 10-15)*
combien (de)? *how much/many?*
une combinaison étanche *a waterproof suit*
comme *like, as*
commencer (à) *to begin (to)*
comment? *how?*
il est comment? *what is he like?*
le commerce *business*
commercial(e) *commercial*
une commune *a town*

comprendre *to understand*
un comprimé *a tablet*
à son compte *self-employed*
compter *to count*
un concert *a concert*
un conducteur *a driver*
un conseil *some advice*
en contact (avec) *in contact (with)*
content(e) *happy*
continuer à *to carry on*
cool! *cool!*
un copain *a friend (m)*
une copine *a friend (f)*
la Corée du Sud *South Korea*
des cornflakes (mpl) *cornflakes*
le corps *the body*
un(e) corres(pondant(e)) *a penfriend*
cosmopolite *cosmopolitan*
la Côte d'Azur *the French Riviera*
à côté de *next to*
en coton *made of cotton*
le cou *the neck*
je me couche *I go to bed*
se coucher *to go to bed*
couler *to flow*
la couleur *colour*
couper *to cut*
un cours *a lesson*
les courses (fpl) *shopping (food)*
le couscous *couscous*
mon/ma cousin(e) *my cousin*
un couteau *a knife*
ça coûte combien? *how much is it?*
croire *to think, to believe*
des crudités (fpl) *raw vegetables*
une (petite) cuillère *a (tea)spoon*
la cuisine *the kitchen/cooking*
un(e) cuisinier/ière *a cook*
faire cuire *to cook*
cuit(e) *cooked*
le cyanure *cyanide*
un cybercriminel *an Internet hacker*
le cyclisme *cycling*
un cyclone *a cyclone*

## D

dans *in*
j'ai dansé *I danced*
la danse *dancing*
danser *to dance*
un(e) danseur/euse *a dancer*
le Danube *the Danube*
un dauphin *a dolphin*
davantage (de) *more*
de *of, from*
de… à… *from… to…*
débarrasser la table *to clear the table*

déborder *to overflow*
les déchets industriels (mpl) *industrial waste*
la découverte *the discovery*
découvrir *to discover*
dehors *outside*
déjeuner *to have lunch*
le déjeuner *lunch*
demain *tomorrow*
demander à *to ask*
2 heures et demie *half past two*
le demi-frère *half-brother*
la demi-sœur *half-sister*
le départ *departure*
se dépêcher *to hurry*
dépêche-toi! *hurry up!*
dépenser *to spend*
depuis *for, since*
depuis quand? *since when?*
on habite ici depuis toujours *we've always lived there*
dernier/ière *last*
samedi dernier *last Saturday*
des *some (plural of un/une)*
descendre *to go down, to take down, to get off*
le désert *the desert*
un dessin *a drawing*
un détective *a detective*
ça détend *it's relaxing*
se détendre *to relax*
détendez-vous! *relax! (vous command)*
je déteste *I hate*
à deux *in pairs*
deuxième *second*
devant *in front of*
devenir *to become*
deviner *to guess*
les devoirs (mpl) *homework*
dimanche *Sunday*
j'ai dîné *I had dinner*
le dîner *dinner*
la direction *direction*
la discipline *discipline*
dis-moi *tell me (tu command)*
se disputer *to argue*
on s'est disputé *we argued*
un disque *a record*
distribuer *to give out*
un documentaire *a documentary*
un doigt *a finger*
un doigt de pied *a toe*
je dois *I must*
le domicile *place of residence*
dominer *to dominate*
donner *to give*
donner sur *to overlook*
la Dordogne *the Dordogne*
dormir *to sleep*
doucement *slowly*
une douche *a shower*
doué(e) *talented*
draguer *to chat up*

une droguerie *hardware shop*
à droite *on the right*
tout droit *straight on*
du *of the (m)*
durer *to last*

**E**

l' eau (f) *water*
l' école (f) *school*
l' Écosse (f) *Scotland*
écouter *to listen*
écrire *to write*
égoïste *selfish*
un électricien *an electrician*
un éléphant *an elephant*
elle(s) *she/they (f)*
embouteiller *to block roads*
emmener *to take someone*
émouvant(e) *moving*
empoisonner *to poison*
emprunter *to borrow*
en *some, any, in*
pas encore *not yet*
s' endormir *to fall asleep*
un endroit *a place*
énerver *to annoy*
tu m' énerves *you get on my nerves*
énorme *huge*
ensemble *together*
ensuite *then*
bien s' entendre *to get on well*
entourer *to surround*
l' entraînement (m) *practice*
s' entraîner *to practise*
entrer *to enter, to come in*
laisser entrer *to let (someone) in*
environ *about*
envoyer *to send*
l' épaule (f) *the shoulder*
perdre l' équilibre (m) *to lose balance*
une équipe *a team*
un équipement *equipment*
l' équitation (f) *horse riding*
une éruption *an eruption*
l' escalade (f) *climbing*
un escargot *a snail*
l' espace (m) *space*
l' Espagne (f) *Spain*
espagnol(e) *Spanish*
espérer *to hope*
il/elle est *he/she is*
l' est (m) *the east*
et *and*
1er, 2e étage *1st, 2nd floor*
étanche *waterproof*
les États-Unis (mpl) *the United States*
l' été (m) *summer*
être *to be*
un(e) étudiant(e) *a student*
étudier *to study*
eux *them*
chez eux *at their house*

l' évier (m) *the sink*
par exemple *for example*
un exercice *exercise*
expliquer *to explain*
une salle d'exposition *a showroom*
(l') extérieur (m) *outside*
c'est extra *it's great*

**F**

fabriquer *to make*
en face de *opposite*
facile *easy*
j'ai faim *I'm hungry*
faire *to do, to make*
je ne fais rien *I don't do anything*
que fais-tu? *what are you doing?*
j'ai fait *I did, I made*
faites *do, make (vous command)*
que fait-il dans la vie? *what does he do for a living?*
la famille *family*
farfelu(e) *scatty*
que tu fasses *that you might make*
un fast food *a fast-food restaurant*
fatiguant *tiresome*
je suis fatigué(e) *I am tired*
se faufiler *to edge one's way*
il faut *you need (to)*
faux/fausse *false, wrong*
la fenêtre *the window*
le fer *iron*
une ferme *a farm*
fermé *closed*
fermer *to close, to shut*
un festival *a festival*
fêter *to celebrate*
une feuille *a leaf*
les feux *the traffic lights*
une fille *a girl*
un film *a film*
la fin *the end*
finir *to finish*
le flamenco *flamenco dancing*
une fleur *a flower*
un fleuve *a river flowing into the sea*
une fois par semaine *once a week*
le foot(ball) *football*
un footballeur *a football player*
le footing *jogging*
la forêt *the forest*
la forme *fitness*
fort(e) *strong, hard*
une ville fortifiée *a walled town*
des fortifications *city walls*
une fourchette *a fork*
frais/fraîche *fresh*
une fraise *a strawberry*
français(e) *French*
la France *France*

# Vocabulaire

la Francophonie *French speaking countries*
mon frère *my brother*
le frigo *the fridge*
les frites (fpl) *chips*
froid(e) *cold*
j'ai froid *I'm cold*
le fromage *cheese*
la frontière *the border*
un fruit *fruit*
fumer *to smoke*
une fusée *a rocket*
futuriste *futuristic*
le Futuroscope *theme park near Poitiers*

## G

gagner *to earn*
le pays de Galles *Wales*
un garage *a garage*
un garçon *a boy*
garder la forme *to keep fit*
la gare *the station*
la gare routière *the bus station*
un gâteau *a cake*
à gauche *on the left*
il gèle *it's freezing*
génial! *brilliant!*
un genre de *a kind of*
gentil(le) *kind, nice*
un gilet *a cardigan*
une girafe *a giraffe*
le goûter *afternoon snack*
un graphique *a graph*
un(e) graphiste *a graphic designer*
grand(e) *big, tall*
ma grand-mère *my grandmother*
les grands-parents (mpl) *grandparents*
mon grand-père *my grandfather*
gras(se) *greasy*
grièvement blessé *seriously injured*
une grève *a strike*
des grillades (fpl) *barbecued meat*
grimper *to climb*
gris(e) *grey*
il fait gris *it's overcast*
gros(se) *big, fat*
un groupe *a band*
la guerre *war*
la guitare *the guitar*
la gymnastique *gymnastics*

## H

s' habiller *to get dressed*
un(e) habitant(e) *inhabitant*
j' habite à *I live in*
où habites-tu? *where do you live?*
habiter *to live*
le hall *the hall*
haut(e) *high*
la hauteur *height*

à haute voix *out loud*
une heure *an hour*
les heures d'ouverture (fpl) *opening times*
l' Hexagone (m) *metropolitan France*
hier *yesterday*
une histoire *a story*
historique *historical*
l' hiver (m) *winter*
le hockey sur glace *ice hockey*
un hôpital *hospital*
hospitalisé *hospitalised*
un hôtel *a hotel*
un hôtelier *the owner of a hotel*
la houle *sea swell*
un hypermarché *a hypermarket*

## I

ici *here*
une île *an island*
il(s) *he/they*
illuminer *to light up*
il y a *there is/are*
un immeuble *a building*
immobilisé(e) *brought to a standstill*
important(e) *important*
imprimer *to print*
l' industrie principale (f) *the main industry*
industriel(le) *industrial*
un(e) infirmier/ère *a nurse*
un(e) informaticien(ne) *a computer programmer*
l' informatique (f) *IT*
une inondation *a flood*
un(e) instituteur/rice *primary school teacher*
une musique instrumentale *instrumental music*
intelligent(e) *clever*
interactif/ve *interactive*
intéressant(e) *interesting*
s' intéresser à *to be interested in*
(l') Internet (m) *the Internet*
une interview *an interview*
l' Irlande (f) *Ireland*
Israël (m) *Israel*
l' Italie (f) *Italy*
italien(ne) *Italian*

## J

Jacques a dit… *Simon says…*
ne… jamais *never*
une jambe *leg*
le jambon *ham*
le Japon *Japan*
le jardin *garden*
jaune *yellow*
en jean *denim*
un jean *jeans*
je/j' *I*

en jersey *jersey*
se jeter dans *to flow into (river)*
un jeu *a game*
un jeu vidéo *a video game*
jeudi *Thursday*
jeune *young*
un job *a Saturday job*
le jogging *jogging*
joli(e) *pretty*
j'ai joué *I played*
jouer à *to play*
jouer du/de la *to play (+ instrument)*
un jour *a day*
tous les jours *everyday*
le journal *newspaper*
une journée *a whole day*
toute la journée *all day long*
le judo *judo*
une jupe *a skirt*
un jus d'orange *orange juice*
jusqu'à *until*
juste *just*
ce n'est pas juste *it's not fair*

## K

le kayak *kayaking*
un kilomètre *a kilometre*
un kit-kat *a Kit-Kat*

## L

l' *the (before a vowel or a silent 'h')*
la *the (f)*
là *there*
un lac *a lake*
laisser *to leave, to let*
le lait *milk*
une lampe *a lamp*
la langue officielle *the official language*
lancer *to launch (rocket)*
25 km de large *25 km wide*
de la lave *lava*
le lave-vaisselle *the dishwasher*
se laver *to get washed*
le *the (m)*
un légume *a vegetable*
les *the (pl)*
leur(s) *their, them*
je me lève *I get up*
se lever *to get up*
levez-vous! *stand up (vous command)*
la librairie *the bookshop*
libre *free*
le lieu de naissance *birth place*
le linge *linen, washing*
un lion *a lion*
lire *to read*
lisez *read (vous command)*
un lit *a bed*
faire le lit *to make the bed*
un litre *a litre*
le littoral *the shore*

un livre *a book*
une livre sterling *a pound*
c'est loin (d'ici)? *how far is it (from here)?*
la Loire *the Loire river*
les loisirs *leisure (activities)*
Londres *London*
long(ue) *long*
50 km de long *50 km long*
lui *him, her*
lundi *Monday*
je porte des lunettes *I wear glasses*

## M
ma *my (f)*
un maçon *a builder*
un magasin *a shop*
un grand magasin *a department store*
un magazine *a magazine*
un maillot (de bain) *a swimsuit/trunks*
une main *a hand*
mais *but*
la maison *the house*
à la maison *at home*
avoir mal à ... *to have a... ache*
j'ai mal à ... *I have a...ache*
malade *ill*
maman *Mum(my)*
la Manche *the Channel*
un manège *a ride*
j'ai mangé *I ate*
manger *to eat*
une manifestation *a demonstration*
manifester *to demonstrate*
maori(e) *Maori*
mardi *Tuesday*
un marchand de chaussures *a shoe shop*
marcher *to walk*
marquer un but *to score a goal*
marrant(e) *funny*
marron *brown*
du mascara *mascara*
le Massif central *the Massif Central (mountains in Central France)*
un match *a match, a game*
les maths (fpl) *maths*
le matin *morning*
faire la grasse matinée *to have a lie-in*
mauvais(e) *bad*
me *me, myself*
un(e) mécanicien(ne) *a mechanic*
un médecin *a doctor*
un médicament *medecine*
une mélodie *a tune*
le/la même ... que... *the same... as...*
mémé *Granny*
un menuisier *a joiner*
la mer *the sea*

la mer Méditerranée *the Mediterranean Sea*
merci *thank you*
mercredi *Wednesday*
ma mère *my mother*
une merguez *a spicy sausage*
mes *my (pl)*
la météo *the weather forecast*
un métier *a job*
je mets *I put*
mettre *to put*
mettre la table *to lay the table*
un mètre *a metre*
mesurer *to measure*
à midi *at lunchtime*
il est midi *it's noon*
le miel *honey*
au milieu de *in the middle of*
un million *a million*
avoir bonne mine *to look well*
le minigolf *crazy golf*
c'est à ... minutes d'ici *it's... minutes from here*
un mixer *a food processor*
à la mode *fashionable*
moi *me*
moins de ... *less...*
en ce moment *at the moment*
mon *my (m)*
le monde *the world / people*
tout le monde *everybody*
trop de monde *too many people*
un mont *a mount*
un montagnard *a mountaineer*
une montagne *a mountain*
une montgolfière *a hot-air balloon*
monter *to go up*
une montre *a watch*
montrer *to show*
un monument *a monument*
se moquer de *to laugh at*
mort(e) *dead*
un mot *a word*
une moto *a motorbike*
une mousse au chocolat *a chocolate mousse*
moyen(ne) *medium*
le Mozambique *Mozambique*
un mur *a wall*
la musculation *body building*
un musée *a museum*
musical(e) *musical*
la musique *music*

## N
j'ai nagé *I swam*
nager *to swim*
la natation *swimming*
la nationalité *nationality*
un naufrage *a shipwreck*
un navigateur *a single-handed sailor*
naviguer *to sail*

il neige *it's snowing*
la neige *snow*
né(e) *born*
je suis né(e) *I was born*
ne ...pas *not*
un néon *a neon light*
le nez *the nose*
ni ... nor....
n'importe où *anywhere*
Noël *Christmas*
noir(e) *black*
une noix *a nut*
une noix de coco *a coconut*
un nom *name*
un nombre *a number*
non *no*
le nord *the north*
normalement *usually*
la Normandie *Normandy*
nos *our (pl)*
une note *a grade*
notre *our (sing.)*
nous *we*
nouveau/elle *new*
à nouveau *once again*
une nouvelle *news*
un nuage *a cloud*
la nuit *the night*
nul(le) *rubbish, poor*

## O
s' occuper de *to take care of*
l' océan Atlantique (m) *the Atlantic Ocean*
l' océan Indien (m) *the Indian Ocean*
l' océan Pacifique (m) *the Pacific Ocean*
un œil *an eye*
un œuf *an egg*
un oiseau *a bird*
on *one, we*
mon oncle *my uncle*
un orage *a storm*
un Orangina *a fizzy orange drink*
un ordinateur *a computer*
une oreille *an ear*
original(e) *original*
d' origine ... (f) *of ...origin*
ou *or*
où (est-ce que)? *where?*
j'ai oublié *I forgot*
l' ouest (m) *west*
oui *yes*
ouvert *open*
un ouvre-boîte *a tin-opener*
ouvrir *to open*

## P
pagayer *to paddle*
une page *a page*
le pain *bread*
un pantalon *trousers*
papi *Grandad*
un paquet de chips *a packet of crisps*
par *by, per*
le parapente *paragliding*

Vocabulaire

un parapluie *an umbrella*
un parc *a park*
un parc d'attractions *a theme park*
le parc de loisirs *leisure park*
parce que *because*
un parcours *a route*
pardon *excuse me*
mes parents (mpl) *my parents*
paresseux/se *lazy*
un parking *a car park*
parler (à) *to talk, to speak (to)*
parler créole *to speak creole*
les paroles (fpl) *lyrics*
partager avec *to share with*
la participation *participation*
partir *to leave*
partout *everywhere*
pas mal *not bad*
passe-moi ... *hand me... (tu command)*
passer l'aspirateur *to hoover*
passer les vacances à ... *to spend the holidays in ...*
passer du temps à ... *to spend time...*
se passionner pour *to have a passion for*
des pâtes (fpl) *pasta*
une patte *a paw*
un pays *a country*
le pays de Galles *Wales*
la pêche *fishing, a peach*
une pellicule *a film*
se pencher *to bend down*
pendant *during, while*
penser *to think*
qu'en penses-tu? *what do you think?*
perdre *to lose*
perdu *lost*
mon père *my father*
une perle *a pearl*
permettre de *to allow*
une personnalité *a famous person*
une personne *a person*
pétarader *to backfire*
petit(e) *small*
un petit copain *a boyfriend*
une petite copine *a girlfriend*
un peu *a little*
très peu *very little*
à peu près *approximately*
avoir peur *to be afraid*
on peut *one can*
je peux *I can*
est-ce que je peux ...? *may I?*
la pharmacie *the chemist's*
un phoque *a seal*
une photo *a photograph*

chez le photographe *at the photography shop*
un piano *a piano*
une pièce *a room*
à pied *by foot*
le pied *foot*
une pile *a battery*
un pilote automatique *autopilot*
le ping-pong *table tennis*
un pique-nique *a picnic*
pique-niquer *to have a picnic*
un pirate *a pirate*
la piscine *swimming pool*
une piscine à vagues *a fun pool*
pittoresque *picturesque*
une pizza *a pizza*
une pizzeria *a pizzeria*
le placard *the cupboard*
une place *a square, a place*
s'il vous plaît *please*
la plage *the beach*
un plan *a map*
la planche à voile *windsurfing*
une planète *a planet*
une plante *a plant*
le plat préféré *favourite dish*
plein de *lots of/full of*
en plein air *in the open air*
il pleut *it's raining*
pleuvoir *to rain*
plier *to bend*
la plongée *diving*
la pluie *the rain*
la plupart de ... *most of ...*
plus (que) *more (than)*
le/la plus ... *the most ...*
ne ... plus *no longer*
un pneu *a tyre*
un poème *a poem*
un poisson *a fish*
le poivre *pepper*
la police *the police*
un polo *a polo shirt*
pollué(e) *polluted*
la pollution *pollution*
la Polynésie française *French Polynesia*
une pomme *an apple*
une pomme de terre *a potato*
un pommier *an apple tree*
un pont *a bridge*
traverser le pont *to go over the bridge*
un (téléphone) portable *a mobile phone*
un port de commerce *commercial port*
une porte *a door*
porter *to wear*
une portion *a portion*
un portrait *a profile*
le Portugal *Portugal*
poser une question *to ask a question*
la poste *the post office*

la poubelle *the bin*
un poulet *a chicken*
pour *for, in order to*
pour aller à ...? *how do I get to ...?*
pourquoi? *why?*
je préfère *I prefer*
préféré(e) *favourite*
(le/la) premier/ière *(the) first*
prendre *to take*
prendre le petit déjeuner *to have breakfast*
(vous) prenez la deuxième à gauche *(you) take the second street on the left*
préparer *to prepare*
près de ... *near ...*
près de 450 *about 450*
présider *to preside*
une prévision *forecast*
un problème *a problem*
le/la prochain(e) *the next*
les produits laitiers (mpl) *dairy products*
le produit principal *the main product*
un prof(esseur) *a teacher*
une profession *an occupation*
un programme *programme*
faire une promenade *to go for a walk*
promener le chien *to take the dog for a walk*
se protéger *to protect oneself*
une pub(licité) *an advert*
puis *then*
un pull *a jumper*
un puzzle *a puzzle*
les Pyrénées (fpl) *the Pyrenees*

**Q**

un quads *a quad bike*
quand? *when?*
un quartier *a district, neighbourhood*
que ...? *what ...?*
le Québec *Quebec*
québequois(e) *from Quebec*
quel(le) *which, what*
il a quel âge? *how old is he?*
à quelle heure? *at what time?*
quelque chose *something*
quelquefois *sometimes*
quelqu'un *someone*
qu'est-ce que ...? *what ...?*
qu'est-ce que c'est? *what is it?*
une queue *a tail*
qui(?) *who(?)*
qui *which*
quoi? *what?*

# R

le racisme *racism*

le racket *bullying (by demanding money)*

raconter *to tell*

un radeau *a dinghy*

la radio *the radio*

une rafale *a gust*

ramasser *to pick up*

une randonnée *a hike*

ranger (ses affaires) *to tidy up*

recommander *to recommend*

une reconstitution *a reconstruction*

la récré(ation) *break*

regarder *to look, to watch*

faire un régime *to go on a diet*

une région *a region*

une règle *a rule*

un rempart *city wall*

rencontrer *to meet*

avoir rendez-vous *to have arranged to meet someone*

rentrer de *to come back from*

renverser *to knock (someone) over*

réparti en *divided into*

répéter *to repeat*

replanter *to replant*

un reportage *a report*

se reposer *to rest*

un requin *a shark*

une réserve *a reserve*

la respiration *breathing*

respirer *to breathe*

se ressembler *to be like*

un restaurant *a restaurant*

un restaurateur *a restaurant owner*

il me reste … *I have… left*

rester *to stay*

un résumé *a summary*

retrouver des copains *to meet up with some friends*

la Réunion *Reunion Island*

un(e) réunionnais(e) *inhabitant of Reunion Island*

un réveil *an alarm clock*

(se) réveiller *to wake (someone) up*

revenir *to come back*

au revoir *goodbye*

une revue *a magazine*

le rez-de-chaussée *the ground floor*

ne rien *nothing*

rire *to laugh*

risquer de *to risk*

le riz *rice*

le rock *rock music*

le roller *roller blading*

rouge *red*

du rouge à lèvres *lipstick*

rouler *to roll*

en route *on the way*

roux/sse *ginger, red*

le Royaume-Uni *the United Kingdom*

une rue *a street*

la première rue à droite *the 1st street on the right*

# S

sa *his/her (f)*

sain(e) *healthy*

sainement *healthily*

je ne sais pas *I don't know*

une saison *a season*

il sait *he knows*

de la salade *salad*

une salle *a room*

la salle à manger *the dining room*

la salle (de classe) *(class)room*

la salle d'eau/de bains *bathroom*

une salle de jeux *a games room*

le salon *the living room*

samedi *Saturday*

des sandales (fpl) *sandals*

un sandwich *a sandwich*

la santé *health*

un satellite *a satellite*

une sauce bolognaise *Bolognese sauce*

une saucisse *a sausage*

sauf *except*

le saut à la corde *skipping rope*

sauter *to skip*

savoir *to know*

un saxo(phone) *a sax(ophone)*

la science-fiction *science fiction*

se *him/her, him/herself*

sec/sèche *dry*

le secondaire *secondary education*

la Seine *the Seine river*

un séjour *a stay*

le sel *salt*

une semaine *a week*

par semaine *per week*

je serai *I will be*

sérieux/se *serious*

un serpent *a snake*

une serviette *a towel, a serviette*

servir à *to serve, to be for*

ses *his/her (pl)*

seul *alone*

du shampooing *shampoo*

faire du shopping *to go shopping*

un short *shorts*

le XIXe siècle *the 19th century*

un signe astrologique *a star sign*

un singe *a monkey*

un site internet *a web site*

un site touristique *a tourist attraction*

situé *situated*

le skate(board) *skateboarding*

un(e) skieur/se *a skier*

le snack *snack bar*

le snowboard *snowboarding*

ma sœur *my sister*

le soleil *the sun*

en solitaire *single-handedly*

en solo *solo*

en soie *(made of) silk*

j'ai soif *I'm thirsty*

le soir *(in the) evening*

ce soir *tonight*

la soirée *evening (time)*

le sommet *the summit*

son *his/her (m)*

ce sont *they/these are*

une sorte de *a kind of*

sortir (avec) *to go out (with)*

sortir la poubelle *to take the rubbish out*

une soucoupe *a saucer*

souffler *to blow*

souriez! *smile! (vous command)*

sourire *to smile*

sous *under*

le sous-sol *the basement*

souvent *often*

les spaghettis (mpl) *spaghetti*

le sport *sport*

sportif/ve *athletic*

un(e) sportif/ve *an athlete*

un stage *a course*

une star *a movie star*

stationner *to park*

le steak-frites *steak with chips*

le stretching *stretching*

strict(e) *strict*

une strophe *a verse*

un studio *a studio*

stupide *stupid*

un style *a style*

le sucre (de canne) *sugar (cane)*

des sucreries (fpl) *sweet things*

le sud *south*

il suffit de *you only need to*

je suis *I am*

la Suisse *Switzerland*

super *super, great*

un supermarché *a supermarket*

sur *on (top of)*

le surf *surfing*

surfer (sur le net) *to surf (the net)*

surtout *especially*

la survie *survival*

un sweat *a sweatshirt*

sympa *nice*

## T

ta *your (f)*
la table *the table*
une tablette de chocolat *a chocolate bar*
les tâches (fpl) *chores*
un(e) Tahitien(ne) *a Tahitian*
le taï-chi *t'ai chi*
la taille *waist*
de taille moyenne *medium-built*
taisez-vous! *be quiet! (vous command)*
ma tante *my aunt*
taper *to hit*
tard *late*
une tartine *slice of bread with butter and jam*
une tasse *a cup*
te *you, yourself*
un tee-shirt *a T-shirt*
le téléphone *telephone*
la télé(vision) *television*
le temps *time, weather*
quel temps fait-il? *what's the weather like?*
de temps en temps *from time to time*
tout le temps *all the time*
tendre *to stretch*
tenez-vous droit *stand up straight (vous command)*
le tennis *tennis*
des tennis (fpl) *tennis shoes*
un terrain de sport *a sports field*
une terrasse *a terrace*
la Terre *the Earth*
tes *your (pl)*
la tête *the head*
têtu(e) *stubborn*
un texte *a text*
le théâtre *drama*
un timbre *a stamp*
timide *shy*
un tiroir *a drawer*
un toast *a round of toast*
un toboggan *a slide*
et toi? *what about you?*
tomber *to fall*
ton *your (m)*
tôt *early*
touché par *affected by*
toucher *to touch*
toujours *always, still*
un tour *a tour*
une tour *a tower*
faire un tour de *to go round*
le tourisme *tourism*
touristique *tourist*
tourner *to turn*
tout *everything*
une trace *a trace*
un train *a train*
traîner *to hang out*
un transistor *a transistor*
travailler *to work*
traverser *to cross*

très *very*
troisième *third*
trop *too*
trop de *too much/many*
tropical(e) *tropical*
une trousse *a pencil case*
trouver *to find*
ça se trouve où? *where is it situated?*
qui se trouve *(which is) situated?*
un truc *a thing*
ce n'est pas mon truc *it's not my thing*
tu *you*

## U

un(e) *a, an, one*
la une *the front page*
une usine *a factory*
utiliser *to use*

## V

le rouge me va bien *red suits me*
en vacances *on holiday*
une vache *a cow*
une vague *a wave*
je vais *I go, I'm going*
la vaisselle *the washing-up, the pots*
une vallée *a valley*
la vanille *vanilla*
tu vas *you go, you are going*
il va y avoir *there will be*
un vélo *a bike*
vendredi *Friday*
venir *to come*
le vent *the wind*
une véranda *a veranda*
un verre *a glass*
vers 11 heures *around 11*
verser *to pour*
vert(e) *green*
vertigineux/se *breathtaking*
un vêtement *an item of clothing*
ça veut dire *it means*
je veux *I want*
de la viande *meat*
une vidéo *a video*
vider le lave-vaisselle *to empty the dishwasher*
la vie *life*
il vient (de) *he comes (from)*
vieux/vieille *old*
les Vikings (mpl) *the Vikings*
un village *a village*
une ville *a town*
en ville *in/to town*
le vin *wine*
un violon *a violin*
un(e) violoniste *a violin player*
une visite *a visit*
une visite guidée *a guided tour*
visiter *to visit*
une vitamine *a vitamin*
voici *here is/are*
voilà *there you are*

voir *to see*
une voiture *a car*
un volcan *a volcano*
volcanique *volcanic*
le volley(-ball) *volleyball*
vos *your (pl)*
votre *your (sing)*
je voudrais *I would like*
vouloir *to want*
il a voulu *he wanted*
vous *you*
vouvoyer *to use vous when speaking to someone*
un voyage *a trip, a journey*
vrai(e) *true, real*
le VTT *mountain bike*
j'ai vu *I saw*
la vue *the view*

## W

le web *the world wide web*
le week-end *(at) the weekend*

## X

le xylophone *the xylophone*

## Y

y *there*
un yacht *a yacht*
un yaourt *a yogurt*
les yeux (mpl) *eyes*
le yoga *yoga*

## Z

un zigzag *a zigzag*
zigzaguer *to zigzag*

# Vocabulaire anglais–français

## A

aerobics *l'aérobic (f)*
afternoon *l'après-midi(m)*
I've always lived here *j'habite ici depuis toujours*
I am *je suis*
apple *une pomme*
arm *le bras*
to ask a question *poser une question*
at my house *chez moi*
at what time? *à quelle heure?*
I ate *j'ai mangé*
an athlete *un sportif, une sportive*
my aunt *ma tante*

## B

to babysit *faire du babysitting*
bank *la banque*
to be *être*
to be able to *pouvoir*
because *parce que*
bed *le lit*
bedroom *la chambre*
Belgium *la Belgique*
big *grand(e)*
by bike *en vélo*
black *noir(e)*
blue *bleu(e)*
blouse *un chemisier*
boring *ennuyeux/euse*
I was born in … *je suis né(e) à …*
to borrow *emprunter*
I bought *j'ai acheté*
boy *le garçon*
bread *le pain*
breakfast *le petit déjeuner*
brilliant! *génial!*
my brother *mon frère*
brown *marron*
bus stop *l'arrêt de bus (m)*
butter *le beurre*
to buy *acheter*
I buy *j'achète*

## C

campsite *le camping*
I can *je peux*
car *une voiture*
carrot *une carotte*
castle *un château*
cereal *les céréales (fpl)*
charming *charmant(e)*
I chatted *j'ai bavardé*
I chatted up *j'ai dragué*
chatty *bavard(e)*

cheese *le fromage*
chicken *le poulet*
chips *les frites (fpl)*
to clear the table *débarrasser la table*
clever *intelligent(e)*
climbing *l'escalade (f)*
clothes *les vêtements (mpl)*
it's cloudy *il y a des nuages*
coffee *le café*
I'm cold *j'ai froid*
it's cold *il fait froid*
colour *une couleur*
this colour suits me *cette couleur me va bien*
computer *l'ordinateur (m)*
my cousin *ma cousine (f), mon cousin (m)*
crisps *les chips (fpl)*
to cycle *faire du vélo*

## D

dairy product *un produit laitier*
dance *la danse*
dear *cher/chère*
demonstration *une manifestation*
dining room *la salle à manger*
dishwasher *un lave-vaisselle*
to do *faire*
to do the washing-up *faire la vaisselle*
doctor *un médecin*
I don't eat enough… *je ne mange pas assez de…*
I don't do anything *je ne fais rien*
downstairs *en bas*
I drank *j'ai bu*
dress *une robe*
to drink *boire*

## E

to earn *gagner*
to eat *manger*
I eat too much … *je mange trop de…*
to empty *vider*
England *l'Angleterre (f)*
to enter *entrer*
eruption *une éruption*
evening *le soir*
everyday *tous les jours*

## F

farmer *un(e) agriculteur/trice*

fashion *la mode*
my father *mon père*
favourite *préféré(e)*
my favourite colour *ma couleur préférée*
first floor *au premier étage*
fishing *la pêche*
fizzy *gaseux/euse*
flat *un appartement*
it's foggy *il y a du brouillard*
foot *le pied*
for *pour*
fork *une fourchette*
French *français(e)*
Friday *vendredi*
friend *un copain (m), une copine (f)*
funny *marrant(e)*

## G

garden *le jardin*
Germany *l'Allemagne (f)*
I get up *je me lève*
to get up *se lever*
glass *un verre*
I go *je vais*
to go *aller*
I go out *je sors*
to go out *sortir*
I go to bed *je me couche*
to go to bed *se coucher*
good *bon(ne)*
good-looking *beau/belle*
my grandfather *mon grand-père*
my grandmother *ma grand-mère*
my grandparents *mes grands-parents (mpl)*
green *vert(e)*
grey *gris(e)*
ground floor *au rez-de-chaussée*
gymnastics *la gymnastique*

## H

hair *les cheveux (mpl)*
hairdresser *un(e) coiffeur/euse*
ham *le jambon*
I hate *je déteste*
I have *j'ai*
to have *avoir*
to have fun *s'amuser*
he *il*
health *la santé*
her *son (m), sa (f), ses (pl)*
his *son (m), sa (f), ses (pl)*
historical *historique*
holidays *les vacances (fpl)*

to hoover *passer l'aspirateur (m)*
horse-riding *l'équitation (f)*
I'm hot *j'ai chaud*
it's hot *il fait chaud*
house *une maison*
how do I get to …? *pour aller à…?*
how far is it? *c'est loin?*
how much is it? *ça coûte combien?*
I'm hungry *j'ai faim*

**I**

I *j'/je*
industrial *industriel(le)*
interesting *intéressant*
Ireland *l'Irlande (f)*
is *est*
Italy *l'Italie (f)*

**J**

jealous *jaloux/se*
jeans *un jean*
to jog *faire du jogging*
joiner *un menuisier*
journey *un voyage*
jumper *un pull*

**K**

to keep fit *garder la forme*
kind *gentil(le)*
kitchen *la cuisine*
knife *un couteau*
I don't know *je ne sais pas*

**L**

last *dernier/ère*
lazy *paresseux/euse*
to lay the table *mettre la table*
on the left *à gauche*
less *moins (de)*
(traffic) lights *les feux (mpl)*
I like *j'aime*
to listen to *écouter*
I live in… *j'habite à…*
to live *habiter*
living room *le salon*
I love *j'adore, j'aime*
lunch *le déjeuner*

**M**

to make the bed *faire le lit*
market place *la place du marché*
me *moi*
mechanic *un(e) mécanicien(ne)*
to meet up with *retrouver*
milk *le lait*
Monday *lundi*
money *l'argent (m)*
more *plus (de)*
morning *le matin*

my mother *ma mère*
motorway *une autoroute*
museum *un musée*
I must *je dois*
my *mon (m), ma (f), mes (pl)*

**N**

I need *j'ai besoin de…*
you need to … *il faut …*
new *nouveau/nouvelle*
next to *à côté de*
nurse *un(e) infirmier/ière*

**O**

office *un bureau*
often *souvent*
old *vieux/vieille*
once a week *une fois par semaine*
opposite *en face de*
our *notre (sing), nos (pl)*

**P**

pasta *les pâtes (fpl)*
peach *la pêche*
my penfriend *mon/ma corres(pondant(e))*
pink *rose*
plate *une assiette*
please *s'il vous plaît*
pocket money *l'argent de poche (m)*
pollution *la pollution*
port *un port*
post office *la poste*
I prefer *je préfère*

**R**

railway *le chemin de fer*
it's raining *il pleut*
red *rouge*
red hair *les cheveux roux (mpl)*
it's relaxing *ça détend*
to rest *se reposer*
rice *le riz*
on the right *à droite*

**S**

sandals *des sandales (fpl)*
Saturday *samedi*
to save money *mettre de l'argent de côté*
scatty *farfelu(e)*
Scotland *l'Écosse (f)*
seaside *au bord de la mer*
secretary *un(e) secrétaire*
selfish *égoïste*
serious *sérieux/se*
shampoo *du shampooing*
she *elle*
shirt *une chemise*
shoes *des chaussures (fpl)*
shop *le magasin*
shorts *un short*

shy *timide*
since *depuis*
my sister *ma sœur*
size *la taille*
skirt *une jupe*
small *petit(e)*
to smoke *fumer*
it's snowing *il neige*
socks *des chaussettes (fpl)*
sometimes *quelquefois*
Spain *l'Espagne (f)*
to spend (money) *dépenser (de l'argent)*
to spend (time) *passer (du temps)*
(tea)spoon *une (petite) cuillère*
station *la gare*
to stay at home *rester à la maison*
it's stormy *il y a des nuages (mpl)*
straight on *tout droit*
street *la rue*
strike *une grève*
student *un(e) étudiant(e)*
stupid *bête*
Sunday *dimanche*
it's sunny *il y a du soleil*
supermarket *le supermarché*
to surf the (Inter)net *surfer sur l'internet*
survival *la survie*
sweatshirt *un sweat*
sweets *les bonbons (mpl)*
to swim *nager*
swimming *la natation*
swimming costume *un maillot de bain*
swimming pool *une piscine*
Switzerland *la Suisse*

**T**

table tennis *le ping-pong*
to take *prendre*
teacher *un prof(esseur)*
tennis shoes *des tennis (fpl)*
thank you *merci*
their *leur(s)*
theme park *un parc d'attractions*
there is/are *il y a*
there isn't/aren't *il n'y a pas de*
I'm thirsty *j'ai soif*
Thursday *jeudi*
to tidy up *ranger les affaires (fpl)*
from time to time *de temps en temps*
I'm tired *je suis fatigué(e)*
today *aujourd'hui*
tomorrow *demain*

too much/many *trop de*
towel *une serviette*
town *une ville*
trainers *des baskets (fpl)*
trousers *un pantalon*
T-shirt *un tee-shirt*
Tuesday *mardi*
twice a week *deux fois
    par semaine*

## U

unemployed *au chômage*
upstairs *en haut*

## V

vegetable *un légume*
village *un village*
volleyball *le volley-ball*

## W

Wales *le pays de Galles*
to watch *regarder*
I watched *j'ai regardé*
water *l'eau (f)*
warning *une alerte*
we *nous*
I'm wearing *je porte*
weather *le temps, la
    météo*
Wednesday *mercredi*
I went *je suis allé(e)*
when? *quand?*
why? *pourquoi?*
it's windy *il y a du vent*
with *avec*
I would like *je voudrais*

## Y

yellow *jaune*
yesterday *hier*
a yoghurt *un yaourt*

# Les instructions

| | | | |
|---|---|---|---|
| À deux. | *In pairs.* | Lis et trouve dans le texte: | *Read and find in the text:* |
| À tour de rôle. | *Take turns.* | Lis et trouve la bonne personne. | *Read and find the right person.* |
| Attention à la prononciation. | *Take care with the pronunciation.* | Lis les bulles. | *Read the speech bubbles.* |
| Choisis l'image qui correspond. | *Choose the picture which matches.* | Pose les questions et donne les réponses. | *Ask the questions and give your answers.* |
| Choisis un thème et prépare ton site web. | *Choose a subject and make your own website.* | Qui parle? | *Who is speaking?* |
| Copie et complète la grille. | *Copy and fill in the grid.* | Remplis les blancs. | *Fill in the gaps.* |
| Décris … | *Describe …* | Trouvez le bon dessin pour chaque activité. | *Find the right picture to match each activity.* |
| Discutez. | *Discuss.* | Trouvez le nom de … | *Find the name of …* |
| Écoute et lis. | *Listen and read.* | Trouve l'image/le texte qui correspond. | *Find the picture/text that matches.* |
| Écoute et note. | *Listen and make notes.* | Un sondage. | *A class survey.* |
| Écoute et répète. | *Listen and repeat.* | Vérifie à deux. | *In pairs, check your answers.* |
| Écoute et vérifie. | *Listen and check.* | Vérifiez vos réponses. | *Check your answers.* |
| Écris des directions. | *Write down the directions.* | Vrai ou faux? | *True or false?* |
| Écris les résultats de l'interview. | *Write down the answers from the interview.* | | |
| Écris un e-mail à envoyer à … | *Write an e-mail to send to …* | | |
| Écris un résumé. | *Write a summary.* | | |
| Enregistre ton texte. | *Record your text.* | | |
| Explique à ton corres. | *Explain to your penfriend.* | | |
| Fais la liste. | *Make/write a list.* | | |
| Fais un graphique. | *Draw a graph.* | | |
| Fais un résumé. | *Write a summary.* | | |
| Fais un site web. | *Design a website.* | | |
| Faites une interview. | *Interview one another.* | | |
| Jeu de rôle. | *Role-play.* | | |
| Interview ton/ta partenaire. | *Interview your partner.* | | |
| Lis et réponds aux questions. | *Read and answer the questions.* | | |